UNION GÉNÉRALE D'ÉDITIONS
8, rue Garancière – Paris VIᵉ

POÈMES

PAR

ALAIN CHARTIER

Textes établis et présentés
par James LAIDLAW

*Ouvrage publié avec le concours
du Centre national des lettres*

*Série « Bibliothèque médiévale »
dirigée par Paul Zumthor*

© Union générale d'Éditions, 1988.
ISBN 2-264-01139-4

For Elizabeth

ALAIN CHARTIER

Alain Chartier, homme de lettres, conseiller et ambassadeur de Charles VII, mourut le 12 mars 1430 en Avignon, bien loin de sa Normandie natale. Il avait passé au moins vingt ans au service de Charles VI (1380-1422) et de Charles VII (1422-1461). Ce furent vingt ans de guerres civile et nationale que ponctuèrent la révolte cabochienne (1413), la bataille d'Azincourt (1415), le meurtre de Jean sans Peur, duc de Bourgogne (1417) et l'ignominieux traité de Troyes (1420) qui prévoyait la succession au trône français d'Henry V, roi d'Angleterre. Au moment de sa mort Chartier était en « dolent (douloureux) exil »; voilà comment il décrivit la vie pénible et incertaine qu'il menait depuis sa fuite de Paris en la compagnie du dauphin Charles le 28 mai 1418. Chartier était destiné à ne jamais rentrer ni à Paris ni en Normandie. L'exil de ses dernières années s'oppose à la jeunesse qu'il avait passée à Bayeux avant de venir faire ses études à Paris. Chartier reste fier de ses origines normandes; un manuscrit de Salluste que conserve la Bibliothèque Nationale de Paris porte l'inscription : *De libris alani aurige de baiocis*, « des livres d'Alain Chartier de Bayeux ». Bien qu'elle nous soit inconnue, la date de sa naissance doit se situer entre 1380 et 1390, peu après l'accession de Charles VI.

La situation politique

Le XIVᵉ siècle finissant est marqué d'événements inquiétants. Le désaccord et la désunion se font sentir à tous les niveaux. L'Eglise est divisée par le Grand Schisme d'Occident, et les papes de Rome et d'Avignon se disputent la chaire de saint Pierre. Situation pareille dans l'Empire, où la succession reste incertaine. En France, les accès de folie de Charles VI deviennent plus fréquents et durent plus longtemps. Les princes du sang profitent de l'« absence » du roi pour s'arroger de nouveaux privilèges et pour détourner les taxes destinées à assurer la défense du royaume. La rivalité entre Louis, duc d'Orléans, frère du roi, et son oncle Philippe le Bon, duc de Bourgogne, est en passe de se transformer en guerre civile. Le conflit entre la France et l'Angleterre, suspendu depuis 1389, risque de se renouveler après l'assassinat du roi Richard II en 1399; la politique de son successeur, Henry IV, est beaucoup plus hostile aux Français.

Le début du XVᵉ siècle n'est pas de meilleur augure. La tension entre les maisons princières de Bourgogne et d'Orléans ne fait qu'augmenter après la mort de Philippe de Bourgogne en 1404 et la succession de Jean sans Peur. C'est à cette époque que le jeune Alain Chartier quitte Bayeux pour venir faire ses études à l'université de Paris.

En 1405 la guerre civile risque d'éclater : dans son *Epistre a la reine Isabelle*, écrit le 5 octobre, Christine de Pizan demande à la reine d'être « la medecine et souverain remede de ce royaume a present playé (blessé) et navré piteusement, et en peril de piz ». L'accord que signent les deux princes le 16 octobre ne mettra pas fin aux hostilités. Le 23 novembre 1407 le duc d'Orléans est assassiné par des partisans de Jean sans Peur. La mort de la duchesse Valentine Visconti l'année suivante affaiblit davantage le parti orléaniste

10

car le nouveau duc, Charles d'Orléans, n'a que 14 ans. Toutefois Charles gagne de puissants alliés en épousant en secondes noces Bonne, fille du comte d'Armagnac. Ce mariage, qui date de 1410, renforce le parti orléaniste et prolonge les hostilités. Las de la guerre interminable, le peuple réclame des réformes et en mars 1413 les Parisiens se révoltent, menés par l'écorcheur Simon Caboche. Cette insurrection « cabochienne » ne sera réprimée qu'après un accord des princes signé à Pontoise en juillet 1413.

L'Angleterre ne reste pas étrangère au conflit. Le nouveau roi, Henry V, entend profiter de la situation anarchique pour regagner les provinces françaises qui avaient autrefois dépendu de l'Angleterre. Se rendant compte des ambitions anglaises, le dauphin Louis essaie de réconcilier les deux factions, mais la paix d'Arras (février 1415) ne sera pas plus sincère et durable que les paix fourrées précédentes. Henry V refuse les concessions offertes par les ambassadeurs français et en août 1415 il débarque en Normandie. Ayant perdu un mois à prendre Harfleur, il se retire sur Calais. Le 25 octobre les armées française et anglaise se rencontrent à Azincourt. Ainsi reprend la Guerre de Cent Ans, conflit qui ne se terminera qu'en 1453, longtemps après la mort d'Alain Chartier.

Le secrétaire du roi

Ayant fait ses études à l'université de Paris, Chartier entra au service royal. Nommé notaire et secrétaire du roi en 1416 ou 1417, il fut attaché d'abord à la maison du dauphin Charles. En mai 1418 Paris fut occupée par les Bourguignons, et le dauphin s'enfuit, accompagné de quelques serviteurs fidèles, dont Alain Chartier. Peu après Charles s'installa à Bourges d'où il essaya de rallier les bonnes villes à sa cause. C'est alors que commence pour le dauphin et pour son secrétaire leur « dolent exil ».

Au cours des années qui suivent le dauphin confie des tâches de plus en plus importantes à son secrétaire. Apologiste, Chartier rédige les documents qui décrivent comment Jean sans Peur avait trouvé la mort à Montereau-fault-Yonne le 10 septembre 1419. Les pourparlers entre les Bourguignons et les partisans du dauphin s'étaient transformés en rixe, au cours de laquelle le duc de Bourgogne fut assassiné. Donc, loin de réconcilier les deux partis, les négociations allaient renforcer la haine et prolonger la guerre civile. Pamphlétaire, Chartier proteste contre le traité de Troyes du 21 mai 1420 qui déshérite le dauphin Charles et prévoit la succession d'Henry V d'Angleterre; beau-fils de Charles VI, Henry V se fait attribuer les droits à la couronne de France de sa femme, Catherine. Dans le *Quadrilogue invectif*, qui date de l'été de 1422, Chartier essaie de réveiller ses compatriotes indifférents aux dangers qui menacent leur pays et de rallier l'opinion publique à la cause du dauphin. Envoyé et porte-parole, il fait partie de l'ambassade que son maître, depuis octobre 1422 Charles VII, envoie auprès de l'empereur Sigismond en 1424 pour solliciter son aide; au cours de cette longue mission qui n'a pas de conséquences immédiates, les envoyés français se rendent à Venise et probablement aussi à Rome. En 1426 Chartier est chargé d'une mission auprès de Philippe le Hardi, depuis 1419 duc de Bourgogne; cette ambassade entreprise « pour le bien de paix et union de ce royaume » n'a pas plus de succès que les tentatives précédentes de détacher les Bourguignons de l'alliance anglaise et de les faire rentrer dans le camp français. Par contre, la mission auprès de Jacques Ier d'Ecosse, à laquelle Chartier participe en 1428, est plus fructueuse : renouveau solennel de la vieille alliance entre les deux pays, fiançailles de Marguerite d'Ecosse et du dauphin, le futur Louis XI, engagement de la part de Jacques Ier de renforcer les troupes écossaises qui depuis 1418 constituent un élément important de l'armée de Charles VII.

Peu après son retour d'Ecosse, Alain Chartier fut nommé conseiller du roi. En accordant cet honneur à son secrétaire, Charles VII voulait sans doute exprimer sa reconnaissance et récompenser un de ses plus fidèles serviteurs. Hélas, Chartier ne devait pas jouir longtemps de cette nouvelle dignité, car un an après il mourut en Avignon. L'histoire ne nous dit pas pourquoi il s'y était rendu ni comment il y trouva la mort.

Le poète

A l'université de Paris Alain Chartier suivit le programme traditionnel composé du *trivium* et du *quadrivium*. En étudiant la grammaire et la rhétorique il devint un latiniste accompli, comme en témoignent les lettres et les discours diplomatiques qu'il rédigea dans cette langue. Si une connaissance approfondie de la culture latine était indispensable à un futur secrétaire du roi, Chartier ne négligea pas pour autant la littérature française.

Depuis le milieu du XIVe siècle les secrétaires formaient un groupe extrêmement cultivé au sein de la cour. Guillaume de Machaut fut probablement le secrétaire de Jean II ou de Charles V, et parmi les secrétaires de Charles VI il faut compter des latinistes renommés comme Jean de Montreuil et Gontier Col; Christine de Pizan était la veuve d'un secrétaire du roi, et leur fils, Jean du Castel, allait devenir un des collègues de Chartier dans la chancellerie.

La cour royale elle-même était un milieu cultivé qui

s'intéressait beaucoup à la littérature. Ce public courtois aimait lire ou entendre lire la poésie lyrique et narrative, et il s'y connaissait. Parmi les poètes les plus célèbres de cette période il faut compter non seulement des écrivains professionnels comme Guillaume de Machaut (ca. 1300-ca. 1377), Jean Froissart (ca. 1337-ca. 1404) ou Christine de Pizan (1365-ca. 1430), mais aussi des aristocrates comme Oton de Granson (ca. 1345-1397), Jean de Garencières (1372-1415) ou Eustache Deschamps (1346-ca. 1405), dont la carrière administrative lui valut ses lettres de noblesse. Si ces poètes nobles pratiquaient surtout les genres lyriques, ballades, rondeaux, virelais etc., ils composaient parfois des ouvrages de plus longue haleine comme le *Livre messire Ode (de Granson)*. Dans les œuvres poétiques de Chartier que nous publions ici, on trouve deux allusions à des écrivains antérieurs, en l'occurrence Machaut et Granson (*Debat de reveille matin*, v. 231). Mais entre 1410 et 1418 Chartier a dû rencontrer à Paris Christine de Pizan, qui habitait près de la cour, et Jean de Garencières, fidèle serviteur de la maison d'Orléans, qui allait trouver la mort à Azincourt.

Poèmes d'amour

Ecrit au lendemain de la bataille d'Azincourt (le 25 octobre 1415), le *Livre des quatre dames* rappelle cette journée néfaste. Henry V se repliait sur Calais, poursuivi par une armée française bien supérieure. S'étant arrêté près d'Azincourt, le roi anglais avait soigneusement déployé ses forces et surtout ses archers. Toute la fougue des chevaliers français n'avait été pour rien face aux flèches anglaises et à la boue picarde. Les deux premières attaques s'étant brisées contre des positions de défense bien choisies, les

Français avaient pris la fuite et la défaite s'était transformée en déroute. Ils laissaient derrière eux d'innombrables morts, dont des princes royaux et notamment les ducs d'Alençon, de Bar et de Brabant. Parmi les prisonniers qu'on transportait outre-Manche, il faut signaler Charles, duc d'Orléans, qui n'avait pas encore 21 ans et qui allait passer vingt-cinq ans en captivité en Angleterre.

Pour les quatre nobles dames que nous présente Chartier, Azincourt n'est pas qu'une défaite qui déshonore la France; c'est aussi un désastre personnel. L'amant de la première dame, « de hault sang et royal lignage » (v. 706), y a trouvé la mort. La seconde se lamente de son bien-aimé qui languit en prison et elle demande aux dames anglaises d'intervenir en sa faveur. L'affliction des deux premières dames est comme cumulée dans la douleur de la troisième : n'ayant reçu aucune nouvelle de son amant depuis la bataille, elle ne sait pas s'il y est mort ou s'il a été pris. Et la quatrième dame? Quoiqu'elle continue à voir son amant presque tous les jours, il n'existe plus pour elle : il est de ceux qui avaient pris la fuite et par là s'étaient couverts de honte.

Pour Chartier et pour beaucoup de ses contemporains les raisons de la défaite d'Azincourt sont à chercher dans la crise morale qui afflige la société et surtout la cour royale. C'est comme un monde à l'envers où l'on préfère le vice à la vertu. Pour y faire carrière il faut pratiquer la fraude et la tromperie; la loyauté et la fidélité n'y comptent pour rien, que ce soit dans les relations personnelles ou dans la vie politique. La cour ne saura se réformer que si elle renonce à ces vices insidieux pour cultiver les valeurs traditionnelles, parmi lesquelles il faut accorder la première place à la loyauté. Message que Chartier puise dans une longue tradition moralisatrice et qu'il ne se lassera pas de proclamer dans tous ses écrits.

Pour être un commentaire politique le *Livre des quatre dames* n'en est pas moins un poème d'amour et un poème personnel. Comme on verra, le poète, tout comme les quatre dames, se plaint de l'amour et de l'infortune.

Passé l'hiver, le beau temps revient et le 1er mai 1416 Chartier sort de Paris « pour oublier merencolie » (v. 1) et pour se distraire aux champs. Les oiseaux chantent, « d'amour nouvelle entrepris (épris) » (v. 38); le ruisseau qui murmure tout près déborde de poissons qui se réjouissent dans l'eau claire et pure; aux champs les bergers tranquilles échangent des propos amoureux. Les premiers vers évoquent admirablement la beauté de la nouvelle saison et la joie de la nature. Les manuscrits les plus anciens du poème contiennent de belles miniatures inspirées par cette description idyllique.

Ces miniatures nous présentent aussi le poète qui se tient en marge de la scène. Position symbolique, car la joie de la nature ne fait que renforcer sa douleur. Amant infortuné, il rappelle les deux années précédentes qu'il avait vainement passées au service d'une dame cruelle qui avait accepté son dévouement sans pour autant lui accorder sa faveur. Il vient de trouver une nouvelle dame qui incarne la beauté et la perfection, mais il craint qu'elle ne refuse d'accepter un serviteur aussi humble qui a peut-être visé trop haut.

Entre temps les quatre dames dont les cœurs sont « plains de courroux et de tristesce » (vv. 395-6) s'approchent du poète qui les salue avant de demander à la première pourquoi elle recherche si instamment la mort. Celle-ci proteste contre l'injustice de la Fortune et de la Mort qui l'ont privée de son amant qui était comme une partie d'elle-même. Seule la Mort lui permettra de le retrouver, mais celle-là reste sourde à toutes ses prières. La dame met en valeur la loyauté de son amant qui avait inspiré toutes ses actions, que ce fût sa patience pendant que la dame mettait son amour à l'épreuve, que ce fût le courage dont il avait témoigné à Azincourt. Loyauté qui lui a valu la mort! Alors que les chevaliers preux ont été tués, la Fortune a épargné les lâches, dont la fuite avait provoqué la défaite. Tout au long de son discours la première dame ne cesse de revenir aux « Fuitifz (fuyards), lasches et desloyaulx » (v. 886) qui pour elle incarnent non seulement la lâcheté mais aussi la paresse, la gloutonnerie et la vantardise, et pour lesquels elle réserve un langage particulièrement vigoureux.

La deuxième dame transformera le poème en débat. Sa vie est dominée par la crainte et l'incertitude. Voilà ce qui la distingue de la première dame qui, tout accablée de deuil qu'elle est, n'en sait pas moins qu'elle doit accepter son sort. Elle ne cesse de pleurer et de protester contre les injustices de la Fortune, depuis que son amant est en captivité. Ce dernier reste toujours présent à son esprit grâce à Souvenir et Penser – il faut comprendre les souvenirs et les pensées qui la préoccupent. Qu'Espoir ne l'abandonne pas.

L'amour qu'éprouvent ces deux premières dames est le loyal ou « fin » amour traditionnel qui inspire la fidélité et le service courtois. Aussi n'est-il pas surprenant que les portraits moraux de leurs deux amants sont presque identiques. Les seules précisions dans la description du premier, ce sont les allusions déjà citées au haut rang et au sang royal du chevalier défunt. Par contre le deuxième portrait est beaucoup plus riche de détails concrets.

Pour indiquer combien son amant avait souffert aux mains de la Fortune pendant ses vingt premières années, la deuxième dame multiplie les allusions personnelles. Depuis l'âge de 10 ans la Fortune et la Mort le poursuivent sans répit (vv. 1194-1200 et 3260-3). Bien que l'amant ne soit pas nommé, celui qui lisait ou qui entendait lire le poème en 1417 ou 1418 aurait trouvé facile de l'identifier. Il s'agit de Charles d'Orléans qui naquit le 24 novembre 1394 et qui donc n'avait pas encore 21 ans quand il prit part à la bataille d'Azincourt. La querelle entre les Orléanistes et les Bourguignons s'était transformée en guerre ouverte pendant l'été de 1405, quand il avait 10 ans. Les vers 3260-3 rappellent le meurtre de Louis d'Orléans. Charles épousa en secondes noces Bonne, fille du comte d'Armagnac, qu'il est permis désormais d'identifier avec la seconde dame; aux vers 1122-3 elle fait une allusion discrète au rang supérieur de son amant. En nous présentant dans son *Livre des quatre dames* d'abord la veuve d'un des princes du sang et ensuite la duchesse d'Orléans, Chartier souligne le rôle prééminent que la maison royale avait joué à la bataille d'Azincourt et par là met en valeur la conduite ignoble des « fuitifz » qui avaient dérogé.

Terminé le discours de la deuxième dame, le poète se permet de reprendre un des thèmes qu'elle avait développés. Nature veut que la joie et la douleur soient indissolubles dans l'amour, leçon que confirme l'expérience des deux dames et du poète. Ce sera maintenant à la troisième dame de parler. Elle soutient que, puisqu'elle ne sait pas si son amant est mort ou pris, elle combine les douleurs des deux premières dames, ce qui lui permet de faire un résumé parfois ironique des discours précédents. Malgré toutes les peines qu'elle doit supporter, elle ne regrette pas de s'être engagée à l'Amour et elle entend rester fidèle à son amant. Et la troisième dame de conclure en rappelant la douleur que lui causent l'amour et l'incertitude. N'a-t-elle pas prouvé qu'elle est la « moins esjouÿe (joyeuse) » (v. 2481) de toutes les dames?

Mais le débat ne peut se terminer sans qu'on entende la quatrième dame qui jusque-là a gardé le silence. Dès les premiers vers de son discours on comprend que la honte en sera le leitmotiv. Son amant est un des « fuitifz » qui se sont couverts de honte et de déshonneur. Comment ne s'était-elle pas rendu compte de la fausseté de son amant? Comment les chevaliers français avaient-ils pu se déshonorer en fuyant, de sorte que « le bien publique » s'en trouve « empiré » (v. 2794)?

A ces deux questions personnelle et politique la quatrième dame donne la même réponse, réponse qu'ont préparée les discours précédents. La France est tombée dans le péché, les vices sont partout à la mode, et les traditions anciennes ont été bouleversées. La quatrième dame rappelle la génération de Du Guesclin, pour indiquer combien les mœurs se sont corrompues depuis ce temps-là. Le discours de la quatrième dame une fois terminé, les trois premières dames reprennent ses critiques véhémentes des « fuitifz » qui devraient être mis au ban de la société. La duchesse d'Orléans est la plus tranchante. Elle aussi estime que la crise actuelle trouve ses origines dans l'incrédulité et l'irreligion qui ont envahi la France ces dernières années.

Laquelle des quatre dames est le plus à plaindre? Il faut trouver un arbitre qui soit capable de trancher la question. Ayant refusé de jouer lui-même ce rôle, le poète propose sa dame qui a toutes les qualités requises pour accomplir une tâche aussi délicate que difficile. En lui soumettant le poème, Chartier demande à sa dame d'agréer son amour, passion qui l'inspire depuis au moins un an, mais qu'il n'a pas osé lui déclarer jusque-là. Il fait allusion à un entretien qu'il avait eu avec elle un an auparavant, lui déclarant son amour de cette façon indirecte.

L'allusion est tellement discrète que seule la dame l'aurait comprise; dans le poème on ne trouve aucun détail qui permette de l'identifier. D'après le prologue du *Livre des quatre dames*, la dame n'avait gagné le cœur du poète que deux mois auparavant. On peut résoudre cette contradiction apparente, en acceptant que Chartier a dû consacrer une année à la composition du poème, qui date donc de la fin de 1416 au plus tôt, et plus probablement du début de 1417.

Le *Debat de reveille matin*, écrit à une date inconnue, est très différent du *Livre des quatre dames*. C'est un poème beaucoup plus court, composé en huitains rimés *ababbcbc*. Ce couplet de ballade traditionnel était devenu une strophe narrative, surtout depuis le *Livre messire Ode (de Granson)*. Chartier l'utilise aussi dans la *Belle Dame sans mercy* et, avec des rimes différentes, dans le *Debat du herault, du vassault et du villain*. Ce sera aussi la strophe préférée de François Villon qui s'en sert dans le *Lais* et le *Testament*.

Dans le *Debat de reveille matin* Chartier joue toujours le rôle de metteur en scène et de rapporteur, cette fois d'une conversation surprise dans une auberge. L'introduction est réduite au strict minimum : le poète s'efface après avoir présenté d'abord l'Amoureux, dont les préoccupations sentimentales l'empêchent de dormir, ensuite le Dormeur que celui-ci réveille juste au moment où il se sent gagné par le sommeil. La situation est exploitée avec beaucoup d'adresse et d'humour. Le comique naît du contraste entre l'Amoureux emporté, aux propos exagérés, et le Dormeur, d'abord plein de sommeil, ensuite tolérant et raisonnable. Cette voix de la sagesse et de l'expérience enseigne que tout amant doit patienter et persévérer, en attendant que la dame prenne pitié de lui. L'amant ne peut rien revendiquer, car on ne peut forcer l'amour, message que proclamera aussi la belle dame sans mercy.

La *Complainte* et la *Belle Dame sans mercy* sont inspirés par la mort de la dame du poète, mort qui lui cause un deuil si intense qu'il quitte le service de l'Amour et abandonne la poésie. Pour célébrer sa dame sans pareille Chartier a recours à des poncifs traditionnels qu'il manie avec une grande habileté. Les mots ne suffisent pas pour décrire ce chef-d'œuvre de la Nature. Toute sa vie durant, la dame avait servi d'exemple aux autres, tant elle incarnait la beauté et la vertu. Aux nouvelles de sa mort peu s'en est fallu que la Loyauté ne soit morte avec elle. Maintenant qu'elle n'est plus, il faut que le poète renonce à l'Amour car, s'il choisissait une autre dame, il ne pourrait que s'abaisser. Le style est d'autant plus vigoureux qu'il est simple et direct. Les rares métaphores sont traditionnelles :

> En elle estoit, sans autres empirer,
> Le droit mirouer pour les autres mirer,
> ¹⁰⁰ Ou chascun puet sans riens mectre tout
>   [prendre;

qui se regardait dans ce miroir devait s'y renseigner plutôt que s'y admirer. Les autres images ne sont pas plus nouvelles mais, placées en fin de strophe, elles gagnent en force et valeur poétiques :

> Je muir sur bout, et en ce point me pors
> ²⁴ Comme arbre sec qui sur le pié se dresse.

Ayant renoncé à l'Amour, le poète se compare à un chevalier qui « ses armes vient rendre » (v. 104).

Ailleurs Chartier évoque la futilité de sa vie désormais solitaire. La vie en société lui déplaît; s'il y feint la joie, dans son for intérieur il ne ressent que peine et douleur. Il écoute ses amis sans vraiment les entendre : « Je chemine » chante-t-il, « sans savoir ou je vais » (v. 142). Il ne lui reste que d'attendre la Mort qui tarde à venir.

Le début de la *Belle Dame sans mercy* rappelle la *Complainte*. Accablé de deuil, le poète chevauche seul à travers la campagne. Puisque son « sentement » est mort avec sa dame, il va désormais se taire et abandonner son métier littéraire; ce poème célèbre est à comprendre comme un adieu solennel et ironique à l'amour et à la poésie. Où va le poète? Il a rendez-vous avec des amis qui ont organisé un déjeuner sur l'herbe. Toute la matinée il fait cavalier seul, absorbé de ses pensées. Vers midi il rencontre ses amis qui l'obligent à venir assister à la fête.

C'est l'heure du déjeuner et déjà les dames et les demoiselles se mettent à table. Parmi ceux qui les servent, Chartier remarque un amant malheureux, vêtu de noir, dont les regards reviennent sans cesse à la dame qui est l'objet de ses désirs. Si les vers 119-120 nous indiquent que le poète doit s'identifier avec l'amant infortuné, il est plus difficile de savoir combien la dame de Chartier s'apparente à la belle dame sans mercy, comme on va la nommer (v. 800).

Bientôt lassé de la fête, le poète s'en éloigne et se met derrière une treille où personne ne peut le voir. Quand l'amant veut parler avec sa dame, il est inévitable qu'ils choisissent le même endroit. Dès les premières paroles nous constatons que l'amant profite de l'occasion pour prononcer un discours qu'il a longtemps préparé et répété. Il reproche à la dame son indifférence et sa froideur; malgré toute la fidélité dont il a fait preuve, elle reste insensible à ses protestations. Il termine crescendo : en utilisant des rimes apparentées, -serve, -servir, -servant (vv. 209-16), il entend souligner la qualité de son service amoureux. Et la dame, comment réagit-elle à ce beau morceau d'éloquence? Elle y répond « bassement » et « amesureement » (vv. 218 et 220). Ces deux adverbes, et surtout le dernier, ralentissent le rythme et font attendre sa réponse.

Ce premier échange définit le ton du débat qui va suivre. Débat équilibré, car les deux protagonistes échangent des strophes. Le jeune amant a assimilé toutes les doctrines de l'amour courtois. Il aime la dame depuis longtemps, témoignant d'une dévotion et d'une soumission exemplaires. Il a souffert avec patience la froideur et la cruauté de sa bien-aimée, croyant qu'il s'agissait d'épreuves que celle-ci lui faisait subir. Il estime que tôt ou tard elle doit lui accorder son amour, assurée enfin de sa dévotion. Mais les protestations et les arguments qu'il déploie ne font pas fléchir la dame qui reste insensible à toute son éloquence.

Le ton du débat change imperceptiblement; au début l'amant fait ses demandes humblement, espérant persuader la dame de lui accorder sa merci. Mais, devant l'imperturbabilité de celle-ci, il se décontenance peu à peu et finit par s'abandonner au désespoir. Il a beau protester sa sincérité; la dame revient sans cesse aux faux amants qui abusent de la générosité du beau sexe, en le trahissant et en se vantant de leurs conquêtes. Tout comme les Quatre Dames, elle se plaint de Faintise (v. 363), de Faulx Semblant (vv. 365 et 749) et de Male Bouche (v. 713) dont l'influence est si prépondérante dans la vie contemporaine. D'après l'amant, sa douleur est causée par la beauté et la cruauté de sa bien-aimée, mais elle rejette ses plaintes en disant qu'il est lui-même responsable de tous ses maux :

Riens ne vous nuist fors vous meïsmes;
764 De vous mesme juge soyez.

Elle trouve de plus en plus difficile de maîtriser son impatience et son irritation, d'où la concision, voire la brutalité de ses derniers mots.

L'amant infortuné appelle la Mort qui seule pourra le délivrer de son angoisse. Et la dame? Cela ne lui fait ni froid ni chaud, paraît-il, car elle retourne à la fête où elle « se deporte aux dances » (v. 780). Les deux dernières strophes forment un épilogue où le poète s'adresse d'abord aux amoureux, ensuite aux dames. Que les premiers évitent la vantardise et la médisance qui sont tellement à la mode depuis dix ans (v. 791)

23

que les dames en sont venues à se tenir sur leurs gardes. Que ces dernières soient moins cruelles et qu'aucune n'imite cette « belle dame sans mercy ».

Comment interpréter les dix ans, dont parle le poète? Grâce à deux lettres en prose qui suivent la *Belle Dame sans mercy* dans la plupart des manuscrits, nous savons que le poème a été composé en 1424. Dans la première lettre trois dames de la cour écrivent au poète qui se trouve à l'étranger. La réponse de celui-ci, son *Excusacion aux dames*, nous indique que la lettre des dames, écrite à Issoudun le 31 janvier, ne lui était arrivée que « le jour de l'estraine » (v. 4), c'est-à-dire le Jour de l'An où on donnait des étrennes. Il faut savoir qu'au Moyen Age en France l'année administrative commençait non le 1er janvier mais à Pâques. Or la cour française se trouvait à Issoudun le 31 janvier 1424/5, date où Alain Chartier poursuivait sa mission auprès de l'empereur Sigismond.

La *Belle Dame sans mercy* fut donc composé en 1424, ce qui ferait que les dix ans dominés, selon le poète, par la fausseté et la médisance, seraient commencés en 1414. Peut-on y voir une allusion à la vie personnelle du poète? Au début du *Livre des quatre dames*, que Chartier a sans doute commencé en 1416, il était question de la dame qu'il avait vainement courtisée pendant deux ans, donc depuis 1414, avant de trouver la nouvelle dame qui venait de gagner son cœur et à laquelle il allait dédier son livre. On peut interpréter la *Belle Dame sans mercy* comme un miroir où le poète « se mire » et d'où il dégage des leçons ironiques et amères. En nous présentant cet amant infortuné, Chartier regarde en arrière pour rappeler sa verte jeunesse où, à en juger d'après les premiers vers du *Livre des quatre dames*, il avait été tout aussi ardent et inexpérimenté. Mais l'amant ne représente pas que Chartier; bien qu'il symbolise les amants d'une génération bouleversée par la guerre nationale et civile, il n'en est pas moins l'éternel amant courtois qui depuis l'âge des troubadours et des trouvères s'était plaint de la froideur et de la cruauté de sa dame insensible.

Faut-il identifier la belle dame sans mercy avec une des dames qui figurent dans les autres poèmes de Chartier? Elle ne peut être celle dont il célèbre la mémoire dans la *Complainte* et dans les premières strophes de la *Belle Dame sans mercy*. Il ne regrette pas son amour pour elle, qui lui a apporté maints biens que la Fortune lui a volés. La belle dame sans mercy ressemble davantage à la première dame à qui Chartier avait offert son cœur; au commencement du *Livre des quatre dames* il nous dit combien il avait souffert de sa cruauté et de son indifférence. Chartier a si fortement individualisé cette belle dame sans mercy à l'intelligence prompte, aux propos sans ambages, qu'il fait penser qu'elle a réellement existé. Quoi qu'il en soit, elle est aussi la dame courtoise traditionnelle qui prend sa place dans la longue lignée de *dompnas* inaccessibles.

Comme le montrent les deux lettres et l'*Excusacion aux dames*, Chartier doit défendre son poème contre les accusations que lui adressent des inconnus, sans doute des chevaliers de la cour. Ces derniers interprètent le poème comme une attaque contre les dames, inspirée par « Envye, rebutement (refus) d'amours ou faulte de cuer » et ils demandent que « si desraisonnables escriptures » soient censurées. Dans l'*Excusacion aux dames*, le dieu d'Amours défend les dames, en accusant le poète d'hérésie. Pour lui il serait impossible de concevoir une dame sans merci ni pitié. Chartier réplique, en protestant que tout le monde accorde un sens beaucoup trop général à son poème. Et le poète de s'en remettre à la justice des dames.

La guerre et la paix sont des thèmes qui préoccupèrent Chartier ainsi que tous ses contemporains. Dans le *Lay de Paix*, adressé aux princes du sang, la Paix prend la parole pour fustiger la discorde qui règne en France depuis trop longtemps. Où que l'on aille, ce ne sont que villes brûlées, champs abandonnés et gens misérables. La France, jadis prospère, où tous vivaient en tranquillité, s'est transformée en pays désolé et désert qui ne mérite que trop l'opprobre de ses voisins. Vu que les Anglais profitent des rivalités princières pour tout ravager et détruire, il incombe aux princes d'oublier leurs querelles et d'accorder une priorité absolue au redressement du pays. Les Anglais, si redoutables qu'ils soient, ne pourront rien contre un peuple qui aura retrouvé l'unité. Aucun détail, aucune allusion ne permettent de dater ce lai émouvant où Chartier soulève des problèmes politiques et moraux qui de 1410 à 1430 ne quittent pas l'ordre du jour.

Dans le *Breviaire des nobles*, qui est composé de treize ballades aux formes variées, Chartier traite de thèmes analogues. Ayant défini la noblesse dans le premier poème, Chartier décrit les douze vertus qui la constituent, en commençant par *Foy* et en terminant par *Perseverance*. Là il y a une innovation. Bien que des poètes antérieurs comme Guillaume de Machaut et Christine de Pizan eussent regroupé des ballades pour en créer un ensemble, c'étaient surtout des suites de ballades amoureuses. Personne avant Chartier, semble-t-il, n'avait eu l'idée de composer un poème moral en utilisant le même procédé.

La ballade, poème à forme fixe traditionnel, se prête admirablement à cette tâche : elle se compose de trois strophes uniformes auxquelles s'ajoute un envoi, ce qui permet à Chartier de présenter trois aspects de la vertu dont il traite, et d'en tirer une conclusion.

L'essentiel du poème se résume dans le refrain qui revient quatre fois, à la fin des strophes et de l'envoi. Dix des treize ballades qui composent le *Breviaire des nobles* sont en vers décasyllabiques, groupés en strophes de 8, 10, 12 et, exceptionnellement 15 vers. Trois poèmes se distinguent de cet ensemble. Le dixième, toujours isométrique, est en vers de sept syllabes. Les heptasyllabes se rencontrent aussi dans les cinquième et huitième ballades, mais là ils sont combinés avec des vers de trois ou de cinq pieds. Ainsi Chartier varie-t-il le rythme du *Breviaire des nobles*, quitte à rehausser l'importance de *Droitture*, *Courtoisie* et *Necteté*, les vertus auxquelles sont consacrées ces ballades exceptionnelles.

Au début du poème la Noblesse s'adresse à tous les nobles « qui ont volenté de valoir » (v. 3); qu'ils disent leurs heures dans son Bréviaire pour ôter les « torfaiz » les mauvaises actions inspirées par la Vilenie. La noblesse ne peut rester passive; elle doit s'exprimer en actions. Pour Chartier le rôle primordial des nobles est de « servir leur roy et leurs subgez deffendre » (v. 64). Aucun noble « ne doit avoir la terre sans le faiz » (v. 18), sans s'acquitter des obligations qui lui incombent. C'est pour cette raison que les nobles tiennent leurs terres, qu'on leur paie les redevances féodales qui représentent pour les paysans un bien lourd fardeau.

Sur le plan social et politique Chartier n'est ni innovateur ni révolutionnaire. Il accepte la conception traditionnelle de la société qu'il faut restaurer à la forme prévue par Dieu. Au temps qu'il est, trop de nobles jouissent des privilèges de leur rang sans pour autant protéger leurs vassaux et sans assurer la défense du royaume. Certains préfèrent rester chez eux et y mener joyeuse vie. S'ils s'en vont en guerre, ils manquent de fermeté et de persévérance, ce qui fait qu'ils supportent mal la vie rude des camps. D'autres, par contre, n'aiment que trop la vie guerrière, car ils y voient surtout l'occasion de s'enrichir, en pillant les villes et les terres qu'ils devraient défendre. La convoitise et la recherche du butin sont incompatibles avec la prouesse et l'honneur; elles relèvent plutôt de l'égoïsme ou de la vilenie.

Pour Chartier, ainsi que pour tous ses contemporains, il existe un contraste fondamental entre la noblesse et la vilenie, contraste qu'il souligne tout au long du *Breviaire des nobles*. C'est comme une bataille des vertus et des vices, car aux douze vertus qui constituent la noblesse s'opposent des qualités vilaines : la prouesse exclut la couardise, l'honneur est incompatible avec la honte, la largesse s'oppose à l'avarice, la sobriété à la gloutonnerie etc. D'où la nécessité absolue de cultiver la vertu. Le noble s'exposera volontiers aux dangers et aux privations; au service de son roi il sera prêt à accepter n'importe quel sacrifice. Pour lui le devoir seul comptera. Idéal difficile à réaliser, mais auquel tout noble doit aspirer.

Chartier revient à des questions semblables dans le *Debat du herault, du vassault et du villain*. Là le cadre n'est plus abstrait; c'est un débat animé où se disputent les trois personnages, et notamment le Herault et le Vassault. Le Herault, « grant voyageur, homme ancïen » incarne la sagesse et l'expérience. Ayant entendu les insultes qu'un jeune « Vassault » (noble) adresse à « ung bon homme de villaige » il n'hésite pas à intervenir, d'autant plus qu'il avait connu le père du jeune seigneur. Le Herault lui reproche sa conduite « oultrecuidiée » et peu courtoise, en lui demandant s'il devrait être là « Villenant villains en villaige » (v. 34). Ne devrait-il plutôt être au service d'un maître vaillant? Et le Herault de rappeler la vie dure que le père du jeune seigneur avait menée à l'époque où il apprenait le métier des armes sous le bon maréchal de Sancerre.

Le Vassault se justifie en disant que les temps ont beaucoup changé. En France on ne respecte plus l'honneur; à la prouesse on préfère l'aisance et le confort. Donc, qui veut exercer le métier des armes ne peut plus compter sur l'appui du roi et de la cour. Le Hérault ne sait que trop bien que les temps sont difficiles, que les flatteurs et les méchants jouissent de trop d'influence, mais il ne se lasse pas de répéter au jeune seigneur qu'il doit supporter tout reproche, toute insulte à condition de sauvegarder l'honneur. Ce débat vigoureux se serait poursuivi bien longtemps, paraît-il, si le Villain qui avait provoqué la dispute ne leur avait pas coupé la parole.

Conclusion

Dans le *Quadrilogue invectif*, écrit en 1422, Chartier avait évoqué « la douloureuse fortune et le piteux estat de la haulte seigneurie et glorieuse maison de France, qui entre destruction et ressource (relèvement) chancelle douloureusement soubz la main de Dieu [1] ». Il faut attendre 1428 et surtout 1429 pour que la France commence à se relever. Ces années marquent le tournant décisif de la Guerre de Cent Ans. L'arrivée à la cour de Jeanne d'Arc en février 1429 est interprétée par Chartier, par Christine de Pizan et par beaucoup d'autres comme le signe longtemps attendu que Dieu n'a pas abandonné la France. En juillet, dans une lettre qu'il adresse à un prince étranger, probablement le duc de Milan, Chartier résume tout ce qui s'était passé pendant les cinq mois précédents : l'arrivée de Jeanne d'Arc, la levée du siège d'Orléans, la marche sur Reims et le sacre de Charles VII. Les

1. E. Droz, *Alain Chartier : le Quadrilogue invectif* (Paris, 1950), 6.

périodes latines ont toute la sobriété, toute l'élégance habituelles du styliste accompli que fut Alain Chartier – et pourtant on y saisit une excitation et un émerveillement tout nouveaux.

La *Lettre sur Jeanne d'Arc* est la dernière œuvre de Chartier que l'on puisse dater avec certitude. Quand il partait pour Avignon au début de 1430, il devait espérer que le long et « dolent exil » de la cour tirait à sa fin. Le redressement de la France semblait plus certain, même s'il n'était pas encore assuré.

A la fin du *Quadrilogue invectif* la France avait fait cette injonction à l'auteur : « ...puis que Dieu ne t'a donné force de corps ne usaige d'armes, sers a la chose publique de ce que tu pués (peux), car autant exaulça la gloire des Rommains et renforça leurs couraiges a vertu la plume et la langue des orateurs comme les glaives des combatans [1] ». Chartier avait obéi : sa plume et sa langue avaient servi à la chose publique, avaient influencé l'opinion, avaient remonté le moral. Bien qu'elle soit apocryphe, la célèbre anecdote de Jean Bouchet sert à indiquer la renommée dont jouissait Chartier à l'époque. D'après celui-là, la dauphine Marguerite d'Ecosse aurait un jour embrassé Alain Chartier qui dormait sur un banc. Elle s'expliqua en disant : « Je n'ay pas baisé l'homme, mais la precieuse bouche de laquelle sont yssuz et sortis tant de bons motz et vertueuses parolles [2] ».

Mots à retenir, même si Marguerite n'arriva en France qu'en 1436, six ans après la mort du poète. Que le lecteur moderne décide si le jugement de la dauphine était bien fondé.

---

1. *Ibid.*, 65.
2. Jehan Bouchet, *Les Annalles d'Acquitaine...* (Paris, 1537), fol. S.i.v.

LA PRESENTE EDITION

Les Manuscrits

Guillaume de Machaut, Jean Froissart et Christine de Pizan, pour ne citer que trois poètes antérieurs, firent copier leurs œuvres littéraires dans de beaux manuscrits ornés de lettrines, de bordures et de miniatures, qui sont aussi précieux du point de vue littéraire. Mais des quelque 115 manuscrits français des œuvres de Chartier on n'en connaît que deux, des copies du *Livre des quatre dames*, dont on peut dire avec certitude que ce furent des exemplaires de présentation, c'est-à-dire des copies préparées sous la direction de l'auteur qui les destinait à un protecteur ou peut-être à la dame qui devait être juge du débat. Les autres manuscrits, à de rares exceptions près, datent du milieu du XVe siècle et sont donc postérieurs à la mort du poète.

Comment expliquer ce contraste? Il serait difficile de conclure que, des nombreux manuscrits de Chartier qui ont dû disparaître pendant les 560 ans qui nous séparent du poète, ce sont surtout les manuscrits de présentation qui ont été détruits. L'explication est à chercher ailleurs. Les deux exemplaires du *Livre des quatre dames* dont il était question plus haut doivent dater des années 1416 ou 1417, époque où la cour

royale et donc Alain Chartier étaient toujours à Paris.
Mais après la fuite de la capitale en mai 1418, la cour
dut s'adapter à une vie plus mouvementée et moins
certaine. En de telles circonstances il ne serait pas
étonnant si Chartier remettait toujours à une date
ultérieure le projet de réunir ses œuvres poétiques pour
en créer un beau « Livre » ou collection, comme
l'avaient fait Machaut, Froissart et Christine de Pizan.
Ses poèmes durent circuler un à un, séparément. En
l'occurrence, ce fut à d'autres que Chartier que revint
la tâche de rassembler ses œuvres littéraires pour les
faire copier. Il faut noter que très peu de ces manuscrits sont entièrement consacrés aux œuvres de Chartier. Ce sont pour la plupart des anthologies : très
souvent on y trouve des « imitations » de la *Belle Dame
sans mercy*, et des compositions d'autres poètes
comme Charles d'Orléans, Michault Taillevent, François Villon etc.

Les Textes

Les deux manuscrits de présentation du *Livre des
quatre dames* se trouvent actuellement à Paris (Bibliothèque de l'Arsenal MS 2940) et à Londres (British
Library, Additional MS 21,247). Le texte que nous
donnons dans cette édition est celui du manuscrit de
Paris, auquel le manuscrit de Londres a servi de
contrôle. Pour les autres poèmes nous avons utilisé
Toulouse, Bibliothèque Municipale MS 826 et Manchester, Chetham's Library, Muniment A.6.91 ; ce
sont des manuscrits de bonne qualité, qui d'ailleurs ne
contiennent pas le *Livre des quatre dames*. Pour les
poèmes amoureux le manuscrit de Toulouse s'avère
meilleur que celui de Manchester, mais pour le *Breviaire des nobles* et le *Lay de Paix*, c'est le contraire.
Les éditions basées sur le manuscrit de Toulouse ont

été contrôlées par celui de Manchester et inversement. Pour le *Debat du herault, du vassault et du villain* il a fallu avoir recours au seul manuscrit connu, Berlin, Kupferstichkabinett MS 78 C 7. Les corrections ont été limitées aux fautes évidentes; dans le cas du manuscrit de Berlin, elles sont indiquées entre crochets [..] [1].

Les textes ont été ponctués pour en faciliter la lecture. C'est dans le même but que nous avons ajouté les accents et régularisé la distinction entre *i* et *j*, *u* et *v*. Les accents se conforment à la convention établie pour les éditions de textes médiévaux, et sont donc limités à la cédille, à l'accent aigu et au tréma. Le dernier sert à indiquer le compte des syllabes, en marquant l'hiatus, soit les cas de non-élision entre deux mots (*cë a quoy*), soit la prononciation disyllabique à l'intérieur d'un mot (*gracïeux*). La cédille a la même fonction qu'en français moderne. L'accent aigu n'est utilisé que là où il est indispensable pour distinguer entre *e* accentué et *e*, dit neutre ou féminin : *place, placé, places, placés*, mais *placee, placees, placez*.

1. Pour l'édition complète des œuvres poétiques et la description de tous les manuscrits français voir J.C. Laidlaw, *The Poetical Works of Alain Chartier* (Cambridge 1974).

INTRODUCTION LINGUISTIQUE

Aux XIVe et XVe siècles le francien, dialecte de l'Ile-de-France, commence à se transformer en langue nationale, grâce à l'importance politique et culturelle de Paris qui était devenu le siège préféré du roi et de l'administration. Il est donc naturel que le francien soit utilisé par les écrivains de la cour. Mais les autres dialectes gardent longtemps leur vigueur, et notamment le picard qui doit son prestige non seulement à la puissance économique des villes du nord de la France mais aussi à une tradition littéraire qui remonte très loin. Beaucoup de poètes et de prosateurs écrivaient en picard, et leurs œuvres circulaient à travers la France, et surtout dans les provinces où l'on comprenait la langue d'oïl. Alain Chartier avait certainement lu les poèmes et les chroniques de Froissart dont la langue est teinté de picardismes.

Le moyen français, comme on appelle la langue des XIVe et XVe siècles, ressentait moins que le français moderne les pressions normatives. Les écrivains n'hésitaient pas à enrichir la langue, en incorporant dans leurs écrits des mots et des formes linguistiques provenant d'autres dialectes. Pour les poètes c'était aussi un moyen de trouver des rimes plus variées et plus frappantes. Il n'est donc pas surprenant de trouver que la langue d'Alain Chartier n'est pas

34

homogène. Quoiqu'elle soit basée sur le francien, on y rencontre des dialectismes et des formes variées, surtout à la rime. Chartier a dû être d'autant plus sensible aux différences dialectales qu'il était d'origine normande et qu'il a parcouru la France au service du roi.

La langue de Chartier s'enrichit aussi d'archaïsmes. Pour ralentir le vers il utilise parfois des formes anciennes disyllabiques comme *eü*, *eüst*, *eüreuse* ou *säoul*, au lieu de *eu*, *eust*, *eureuse*, *saoul*, les formes qui étaient devenues normales. Il se sert aussi, mais plus rarement, des formes de la déclinaison à deux cas. Là où la langue offrait un choix, comme au temps présent de l'indicatif et du subjonctif, il a recours très souvent à la forme ancienne.

Les remarques qui suivent ont été rédigées dans l'intention de faciliter la lecture des poèmes de Chartier, en signalant les principales particularités du moyen français. Elles ne constituent pas une description exhaustive de la langue de cette période.

ORTHOGRAPHE

Pour le lecteur moderne l'orthographe est sans doute l'aspect le plus déconcertant du moyen français. Alors qu'au XXᵉ siècle nous acceptons que chaque mot doive s'écrire d'une façon correcte et donc invariable, les poètes et les copistes du XVᵉ siècle auraient mal compris le concept d'une orthographe fixe. Les graphies sont d'autant plus variées dans cette anthologie qu'elle est basée sur quatre manuscrits, copiés par quatre scribes. En plus, il ne faut pas oublier l'importance qu'on attachait à la rime « pour l'œil ». Le sens des variantes orthographiques devient clair quand on les prononce à haute voix.

La division des mots n'est pas toujours celle de la

langue moderne : *long temps* = *longtemps, tresbelle* =
très belle.

PHONOLOGIE

Les consonnes

La représentation des sons consonantiques est loin
d'être fixe. On trouve beaucoup de lettres non pronon-
cées et dues, soit au goût de l'archaïsme, soit au désir
d'indiquer l'étymologie latine, soit à un souci ornemen-
taire.

b, c, l, s non prononcés devant consonne : *doubte,
soubdainement ; ceincture, mectre ; hault, mieulx ; boscage, esté.* Cf. *y*, variante d'*il.*

c non prononcé après consonne : *sçay (= sais),
scient.*

c = s : tença, tense de *tenser; cemont, semont* de
cemondre; serche, cerchier = chercher.

c/ch Des formes dialectales provenant du Nord de
la France s'emploient surtout à la rime : *cache, pourcache = chasse, pourchasse; cerchier, encerchié =
chercher, encherché; descarchier = décharger; descirer = déchirer; desplachier = déplacer; lachent =
lacent; lasche = lasse; merche, merchié = marque,
marqué; muchié = mussé; perchié = percé; renforchiez = renforcez.*

g = j : ge, je; gengleur, jangleur; gieu, jeu. Cf.
ge(c)ter.

*gn = ngn : besoigneuse, besoingneux; cognoistre,
congnoistre; esloignement, esloingnement.* Suivi de *n,
g* peut aussi être une lettre étymologique : *benigne* et
digne riment avec *chemine* et *pelerine.*

h non aspiré facultatif : *enhortoit, enorter; herbes,
erbe; heure, eure.* Par contre *habondance* et *habonde*
s'écrivent toujours avec *h-* initial.

-lx. Les noms et les adjectifs en *–el* font le pluriel en
-*ieulx* ou -*eaulx* : *chatieulx, hostieulx, mortieulx,
rappeaulx, tieulx.*

qu = *c* : *s'aquouärdir*; *queult* de *cueillir*, cf.
aqueult, requeult; *queurt* de *courir*; *queuvre* de *cou-
vrir.*

-*s* = -*z* : *assis, assiz; fais, faiz; mais, maiz.* Il faut
noter qu'après -*e-* atone ou « féminin » on trouve
normalement -*s* et non -*z*. La consonne finale d'un
substantif ou d'un adjectif est souvent supprimé
devant -*s* ou -*z* final, marque du pluriel : *amans, blans,
bous, gentiz, tardiz.*

w = *v(u)* : *wide, widé.*

Les voyelles

La façon de représenter les sons vocaliques rappelle
surtout la prononciation ancienne et n'indique pas de
façon systématique la réduction des diphtongues.

ai = *e* : *abaissent, abesserent; faiz, fez; laissier,
lessier.* Cf. *maine* = *mène; cler; per* = *pair.*

ain = *ein* : *paine, peine; plaine, pleine.*

an = *en* : *jangleur, gengleurs; mangier, mengier;
tançant, tença.*

ar = *er, air* : *appaire, appairent* de *apparoir;
espergne; garmenter, guermenter; merche, merchié* =
marque, marqué; pardu; pert de *paroir; saira* =
sara.

eu = *ue* = *œi* = *uei* : *deul, dœil, dueil; peut, puet;
sœil, seult.*

eu = *ou* = *ue* : *peu, pou; pleurs, plours; rigueur,
rigour, riguer.* Cf. *cuer.*

i = *y*. Y s'utilise très souvent en fin de mot : *ay,
ainsy, aussy, ennuy.*

o = *ou* : *doleur, douleur; oblie, oublie; plorer,
plourer; povre, pouvre.*

u = *eu* : *sure, seure*; *surquerir, seurquerir*; cf. *seurmonter, seurprendre*.

MORPHOLOGIE

Verbes

Infinitif

La terminaison peut varier, suivant les exigences de la rime et de la métrique : *fuÿr, fuire*; *querir, querre* et composés; *remaindre, remanoir*.

Alternance du radical

L'alternance de plus d'un radical, dont des exemples subsistent dans la langue moderne (*j'appelle, nous appelons*; *je dois, nous devons*; *je peux, je puis, nous pouvons*), est beaucoup plus répandu en moyen français : *j'aim, nous amons*; *je dueil, nous doulons*; *je grieve, vous grevez*. Il faut aussi tenir compte des formes analogiques créées dans le désir de généraliser un des radicaux. A noter : *claime* de *clamer*; *convie* de *convoyer*; *festëoit* de *festoyer*; *fier(en)t* de *ferir*; *hëoit* de *haïr*; *maine(nt)* de *mener*, cf. *demaine, pourmaine*; *maint* de *manoir*, cf. *remains, remaint*; *meschiet* de *mescheoir*; *muir* de *mourir*; *nëoit* de *noyer*; *ot* de *oïr*; *parole(nt)* de *parler*; *poise* de *peser*; *sault* de *saillir*; *sœil, seul(en)t* de *soloir*.

Présent de l'indicatif

Première personne du singulier. Verbes en -*(i)er* : la forme ancienne sans -*e* final coexiste avec la forme analogique en -*e* qui commence à s'imposer : *aym, ayme*; *os, ose*; *pors, porte*; *truys, treuve*. Verbes en -*ir* : on trouve la forme ancienne sans -*s* final : *fuy, plevy, voy*. Cf. *suy*.

Présent du subjonctif

Première personne du singulier. A noter : *deule, dueille* de *douloir, doie* de *devoir*.

Troisième personne du singulier. Les formes anciennes sans *-e* final s'emploient surtout dans des expressions figées : *doint* de *donner*, cf. *pardoint*; *gart*; *loit* de *loisir*; *octroit*; *puist* de *pouvoir*; *ramaint* de *ramener*; *represent*. A noter aussi : *acquierge* de *acquerir*; *aist, aÿe* de *aider*; *assoille* de *absoudre*; *chaille* de *chaloir*; *chiece* de *chëoir*, cf. *meschiece*; *die* de *dire*; *muyre* de *mourir*; *voise, voit* d'*aler*.

Deuxième personne du pluriel. On trouve des formes en *–ez* surtout à la rime : *disez, escripsez, louez*. Noter aussi *comprengiez* de *comprendre*.

Futur et conditionnel

Les futurs ou des conditionnels en *–rr-* se rencontrent très souvent : *apperroit* d'*apparoir*; *cherroit* de *chëoir*; *demourra, demourroit* de *demourer*; *dourra, dourroient* de *donner*; *gerray* de *gesir*; *herray, herroit* de *haïr*; *lerroit* de *laier (laisser)*; *vourra, vourroit* de *vouloir*.

Troisième personne. Noter les formes suivantes : *fauldra, fauldroit* de *faillir*; *yere, yerent, yert* d'*estre*; *sauldra* de *saillir*.

Première personne du pluriel. On trouve des formes sans *-s* final, surtout à la rime : *ameron, eschapperon, prison, seron*.

Passé simple

Première personne du singulier. Les formes anciennes sans *-s* final sont utilisées surtout à la rime : *actendi, di, eu, fy, fu, yssy, rendi, tendi, vy*.

Troisième personne du singulier. Les formes sans *-t* final sont rares : *destendy, entendi, fu, yssy, rendy*. A noter aussi : *yere, yert* d'*estre*, *ot* d'*avoir*, *pot* de *pouoir*, *prins, print* de *prendre*.

Troisième personne du pluriel. A noter : *distrent* de *dire*.

Participe passé

Les formes suivantes sont à noter : *desroux* de *desrompre*; *escheu* de *eschëoir*, cf. *mescheu*; *geu* de *gesir*; *prins* de *prendre*; *rainte* de *raembre*; *rouptes* de *rompre*; *sis* de *sëoir*. *Entaillie, eslacie, travaillie* sont des formes féminines.

Noms, Articles, Pronoms, Adjectifs et Adverbes

Déclinaison

Le système de déclinaison à deux cas qui existait en ancien français a presque entièrement disparu. Les rares exemples du cas sujet masculin se trouvent surtout à la rime : *advenuz, boulierres, changierres, compains, hom, homs, lierres, tous seulx* sont du singulier, alors que *ancïen, entreprenant, faisant, negligent* sont du pluriel. *Amours* et *riens* s'emploient indifféremment au singulier comme cas sujet ou cas régime. L'emploi abusif du cas sujet n'est pas exclu : *prez, despeschans* (*Livre des quatre dames*, vv. 382, 1004).

Genre des noms

Amour(s), honneur et *mesaise* sont de genre variable. *Aise* est du genre masculin, alors que *doute, mensonge* et *meslenge* sont du féminin.

Articles défini et indéfini

Li et *uns*, formes du cas sujet, sont très rares. *Uns* peut indiquer une paire : *uns yeulx*, « deux yeux ». Noter les contractions : *es = en les*; *ou = en le*.

Pronoms personnels

El, cas sujet, est une variante monosyllabique d'*elle*. *Y*, variante d'*il*, et les régimes, *my, ty = moy, toy*, ne s'utilisent qu'à la rime. Tout aussi rares sont *ly* et *lui*, régime féminin, et *ly*, régime masculin.

Indéfinis, démonstratifs, relatifs et possessifs

Les pronoms indéfinis et démonstratifs, *autr(u)y, cil, celle, cellui, null(u)y*, s'emploient comme cas sujet ou cas régime. Les démonstratifs, *cestui* (pronom ou adjectif), *icelle, iceulx* (pronom) et *nulluy* (adjectif) sont beaucoup plus rares. *Que* et *qu'* peuvent être utilisés comme sujet relatif, et *qui* comme régime. Parmi les possessifs, il faut signaler *vo*, variante monosyllabique de *vostre*, et les formes accentuées *moie* et *voz*.

Adjectifs épicènes

Les adjectifs qui en ancien français ne faisaient aucune différence entre les formes masculines et féminines gardent le plus souvent cette caractéristique, mais les formes analogiques commencent à s'imposer : *grant douleur, griefz penances, quel lÿesse, tel peine* sont à comparer avec *grande puissance, pensee greve, quele seurté, grace tele*; cf. *briefment* et *brievement*. Il en est de même des participes présents : *hystoires... faillans*, mais *dames... requerantes*.

SYNTAXE

Il faut noter certaines particularités de la syntaxe du moyen français qui risquent de déconcerter le lecteur moderne.

Verbes

La pluralité du sujet, surtout lorsqu'il s'agit d'une liste, n'entraîne pas nécessairement la pluralité du verbe. Le participe passé lié à l'auxiliaire *avoir* ne s'accorde pas toujours avec le complément direct antéposé; par contre, il y a parfois accord avec le complément direct postposé.

Noms

L'infinitif du verbe s'emploie souvent comme substantif ou nom verbal. La juxtaposition de deux substantifs crée une sorte de génitif : *fait de son cuer autry avoir*; *par l'allïance Faintise.*

Articles et pronoms

En règle générale, l'article défini ne s'emploie pas devant les noms abstraits. Il arrive très souvent que le pronom personnel, sujet du verbe, n'est pas exprimé. Lorsque deux noms unis par une conjonction de coordination se suivent dans la même fonction, il est normal que l'article ou le possessif soit omis devant le second. Le pronom régime direct n'est pas toujours exprimé devant le verbe, surtout lorsque le verbe est précédé d'un pronom régime indirect.

LEXIQUE

Un glossaire se trouve à la fin du volume.

LE LIVRE DES QUATRE DAMES

Pour oublïer melencolie
Et pour faire chiere plus lie,
Un doulz matin es champs yssy,
⁴ Ou premier jour qu'Amours ralie
Les cuers et la saison jolie
Fait cesser ennuy et soulcy.
Si alay tout seulet, ainsy
⁸ Que l'ay de coustume, et aussy
Marchay l'erbe poignant menue
Qui toute la terre tissy
Des estranges couleurs dont sy
¹² Long temps l'yver ot esté nue.

Tout autour oyseaulx voletoient
Et si tresdoulcement chantoient
Qu'il n'est cuer qui n'en fust joieux.
¹⁶ Et en chantant en l'air montoient,
Et puis l'un l'autre seurmontoient
A l'estrivee, a qui mieulx mieulx.
Le temps n'estoit mie nuyeux:
²⁰ De bleu se vestoient les cieulx,
Et le beau soleil cler luisoit.
Vïolete croissoit par lieux,
Et tout faisoit ses devoirs tieulx
²⁴ Comme Nature le duisoit.

En buissons oyseaulx s'assembloient.
L'un chantoit, les autres doubloient
De leurs gorgetes qui verbloient
28 Le chant que Nature a apris;
Et puis l'un de l'autre s'embloient.
Et point ne s'entreressembloient;
Tant en y ot qu'ilz me sembloient
32 Fors a estre en nombre compris.
Si m'arrestay en un pourpris
D'arbres, en pensant au hault pris
De Nature qui entrepris
36 Ot a les faire ainsi harper;
Mais de joie les vy seurpris
Et d'amour nouvelle entrepris,
Et un chascun avoit ja pris
40 Et choisy un seul loyal per.

En ce chemin retentissant
De doulz accors, alay pensant
A ma maleuree fortune,
44 En moy mesmes m'esbahissant
Comme Amour, qui est si puissant,
Est large de joies fors d'une
Que je ne puis par voie aucune
48 Recouvrer, combien que nesune
Autre grace en Amours ne vueil.
C'est mal eür ou infortune;
Autres par maniere commune
52 Ont les biens, dont je n'ay que dueil.

Les arbres regarday flourir
Et lievres et connins courir;
Du printemps tout s'esjoyssoit.
56 La sembloit Amours seigniourir:
Nul n'y puet vieillir ou mourir,
Ce me semble, tant qu'il y soit.
Des herbes un doulz flair yssoit

44

⁶⁰ Qui l'air sery adoulcissoit;
  Et en bruyant par la valee
  Un petit ruisselet passoit,
  Qui le païs amoistissoit,
⁶⁴ Dont l'eaue n'estoit pas salee.

  La bevoient les oyseillons
  Aprés ce que des gresillons,
  Des mouschetes, des papillons
⁶⁸ Ilz avoient prins leur pasture.
  Lasniers, autouers, esmerillons
  Vy, et mousches aux aguillons,
  Qui de miel nouveaulx paveillons
⁷² Firent es arbres par mesure.
  De l'autre part fut la closture
  D'un pré graçïeux ou Nature
  Sema les fleurs sur la verdure,
⁷⁶ Blanches, jaunes, rouges et perses.
  D'arbres flouriz fut la ceincture,
  Aussi blans com se neige pure
  Les couvroit; ce sembloit paincture,
⁸⁰ Tant y ot de couleurs diverses.

  Le ruissel d'une sourse vive
  Descendoit de roche naÿve,
  Larget d'environ une toise;
⁸⁴ Si couroit par l'erbue rive
  Et au gravier, qui lui estrive,
  Menoit une tresplaisant noise.
  Maint poissonnet, mainte vendoise
⁸⁸ Vy la nagier, qui se degoise
  En l'eaue clere, nete et fine;
  Si n'ay garde que je m'en voise
  De la, maiz largement me poise
⁹² Qu'il faille que si beau jour fine.

  Tout au plus pres, sur le pendant
  De la montaigne en descendant,

Fut assiz un joieux boscage
96 Qui au ruissel s'aloit rendant
Et vertes courtines tendant
De ses branches sur le rivage.
La hante maint oisel sauvage –
100 L'un vole, l'autre ou ruissel nage –
Cannes, ramiers, herons, faisant;
Les cerfz passoient par l'ombrage
Et, ces oiseillons hors de cage,
104 Dieu scet s'ilz estoient taisant.

Ainsi un pou m'esjoÿssoie
Quant a celle doulceur pensoie,
Et hors de la tristour yssoie,
108 Que je porte celeement.
Et puis a moy mesmes tensoie
Et de chanter je m'efforçoie,
Maiz se de ce bien joÿssoie,
112 Il ne duroit pas longuement.
Ains rentroie soubdainement
Ou penser ou premierement
J'estoie, dont si durement
116 Suis, et de long temps, assailly.
Ce bien accroissoit mon tourment,
En voiant l'esjoÿssement,
Dont il m'estoit tout autrement,
120 Car Espoir m'estoit deffailly.

Si disoie: « Ha, Amours, Amours,
Pourquoy me faiz tu vivre en plours
Et passer tristement mes jours,
124 Et tu donnes partout plaisance?
Tien suis a durer a tousjours,
Et je treuve toutes rigours,
Plus de durté, moins de secours
128 Que ceulx qui ayment Decevance.
J'ay prins en gré ma penitance,

Actendant la bonne ordonnance
De la belle qui a puissance
132 De moy mectre en meillieur party;
Maiz je voy que Faintise avance
Ceulx qui ont des biens habondance,
Dont j'ay failly a l'esperance.
136 Ce n'est pas loyalment party. »

Ainsi mon cuer se guermentoit
De la grant douleur qu'il sentoit
En ce plaisant lieu solitaire,
140 Ou un doulz ventelet ventoit,
Si sery que on ne le sentoit
Fors que l'erbete mieulz en flaire.
La fut le gracïeux repaire
144 De ce que Nature puet faire
De bel et joieux en esté.
La n'avoit il riens a refaire
De tout ce qui me pourroit plaire,
148 Maiz que ma dame y eust esté.

En une sente me vins rendre,
Longue et estroicte, ou l'erbe tendre
Croissoit tresdrue et un pou mendre
152 Que celle qui fut tout autour.
La me vint un acez seurprendre
De Desir qui me fist esprendre;
Et en alant sans garde prendre
156 Ne sans penser a mon retour,
Me trouvay loing en un destour.
La me fist Desir dur estour
Ne je ne savoie plus tour,
160 Quant vy de pres s'entrebaisier
Une pastoure et un pastour,
Et de loing yssir d'une tour
Quatre dames en noble atour;
164 Cela fist mon mal appaisier.

Quant ces dames choisy a l'œil,
Un pou entr'oublïay mon dœil,
Dont j'ay trop plus que je ne sœil,
168 Qui cessera
Au fort quant a Amours plaira
Ou Mort du tout l'abbregera;
Un de ces deux le m'ostera.
172 Autre n'y puet
Fors celle que mon cuer ne veult,
Qui en sache plus qu'elle seult,
Combien que par elle se deult
176 Le povre cuer
Qui tant en a de la douleur
Que j'en pers et chiere et couleur;
Maiz ou soit sens ou soit foleur,
180 Quoy qu'il advieigne,
Il couvient que tousjours s'y tieigne
Sans que jamaiz autre devieigne,
Combien que pas ne m'appartieigne
184 Grace avoir tele
Comme estre amé de la plus belle.
Ce m'est assez bien, que pour elle
J'aye du mal que mon cuer cele,
188 Et que je l'ayme
Sans plus par penser, en moy meisme,
Et que seule dame la clayme
Et en mes douleurs la reclaime,
192 Quant autre chose
Faire n'en puis, et que je n'ose
Pas sans plus penser que desclose
Lui soit l'ardeur que je tien close,
196 Car se le dire
Actraioit a soy l'escondire,
Il n'y aroit plus de quoy rire;
Si me vault mieulx ce mal que pire
200 Et un que deux.
Ainsi estoie es champs tous seulx,

Et entre les pastours vy ceulx
Qui s'amerent et autour d'eulx
204 Leurs brebïetes.
Si firent par leurs amouretes
Tant de gracïeuses chosetes,
Et s'entredonnoient fleuretes
208 Et chappeaulx vers;
Et puis dançoient au travers,
Tous de fleurs estranges couvers,
Et faisoient mains tours divers.
212 Moult eu envie
De leur tresgracïeuse vie
Qui en joie sembloit ravie
Et de suffisance assouvie.
216 Et par mon ame,
S'Amours consentoit que ma dame,
Celle qui si mon cuer enflame,
Si fust comme une basse fame,
220 Aux champs bergiere,
Bien sçay qu'il ne demourroit guiere,
Toutes choses mises arriere,
Que de ma volenté plenniere
224 Je ne gardasse
Brebiz es champs; si ne pensasse
Plus en douleur, et mieulx osasse
Lui dire le mal qui me lasse,
228 Quoy que ja las
Je ne seray d'estre en ses las,
Pour plaindre ne pour dire « halas ».
Plus vueil son gré que mon soulas;
232 C'est mon desir,
Soit au lever, soit au gesir.
Je souhaide temps et loisir,
Ou quelque chose a son plaisir
236 Faire peüsse,
Et que ainsi faire le sceüsse,
Comme le vouloir en eüsse,

Non pas si bien que je deüsse
240 Et qu'elle vault.
Maiz ou la puissance deffaut,
A la fin bon vouloir ne faut;
Se mon cuer a choisy trop hault,
244 Je ne l'en prise
Que mieulx, quant il a entreprise
Une si gracïeuse emprise.
Ma dame en fera a sa guise
248 Quant vient au fort;
Et si m'est un grant reconfort –
Et en deusse prendre la mort –
Que nul ne puet dire, « Il a tort
252 De celle amer »,
Ne je n'oseroie blasmer
Desir qui m'en fait enflamer
Et par qui j'ay tant de l'amer.
256 Cellui seroit
Sans cuer, qui bien aviseroit
Au bien d'elle et y penseroit,
Quant volentiers ne l'ameroit.
260 Aussi pour voir
Je croy, et le cuide savoir,
Que plusieurs desirent avoir
Sa grace et en font tout devoir,
264 Desquelz le mendre
Je suy, qu'Amours fait entreprendre,
Et a quoy je ne m'ose actendre;
Et ja pour doubte de mesprendre,
268 Riens n'en sara.
Au moins la bouche le taira,
Et le semblant faire laira
Par lequel puet estre elle ara
272 Appercevance
Que je n'ay si non desplaisance;
Et de tous ceulx qui sont en France
N'en a un, d'Amours a oultrance

50

276 Plus assailly.
   Maiz s'Espoir m'estoit defailly
   Et j'estoie plus mal bailly,
   Au moins n'ay je mie failly
280 A choisir bien,
   Car a mon gré ainsi le tien
   De doulceur et de beau maintien;
   Fors tout parfait n'y a il rien
284 En la tresbelle.
   Et se j'eusse une grace tele
   Que sans plus je fusse bien d'elle
   Ou que aucune bonne nouvelle
288 J'en peusse ouÿr,
   Oncques nul ne vit esjouÿr
   Amant – et deüst il jouÿr –
   Ne ainsi toute douleur fouÿr
292 Que on me verroit.
   Maiz cela estre ne pourroit:
   Ma fortune ne le vourroit,
   N'en mon courage ne cherroit
296 Qu'il advenist
   Que se de moy lui souvenist
   Ne qu'a servant me retenist,
   Car de riens ne m'appartenist
300 Tant amoureuse
   Pensee ne si gracïeuse,
   Tant haulte ne si eüreuse,
   Ne de joie tant planteureuse,
304 Veu que je suis
   Cellui qui a moy mesmes nuys
   Par mon mal eur; n'oncques depuis
   Mon enfance n'eu fors ennuis,
308 Et en amours
   Courte joie et longues doulours.
   J'ay pour loyauté le rebours
   De ceulx qui usent des faulx tours,
312 Et bien leur vient.

Ce meschief porter m'escouvient
Quant de tout si tresmal m'avient.
Au fort se droit a droit revient,
316 Un temps vendra
Qu'Amours grant pitié en prendra
Et a celle mon cuer rendra
Que, s'il lui plaist, le retendra.
320 Je l'y ay mis
Puis deux mois et m'en suy desmis,
Et si ay a Amours promis
Lui quicter, et m'en suy soubmis
324 A son bon vueil,
Lui prïant qu'il change le dueil
Que passé a deux ans recueil,
Qui appert au doy et a l'œil,
328 Par le refuz
De celle a qui servant je fuz,
Qui mist en mon cuer fers et fustz
D'un dart amoureux dont confuz
332 Je me rendi.
Par deux ans sa grace actendi:
S'el commanda ou deffendi,
Je le fiz, maiz elle entendi
336 Bien autre part;
Si vins puet estre un peu trop tart
Et elle ot au meillieur regart.
Maiz je pry a Dieu qu'Il la gart
340 Et lui en doint
Tel joie qu'il ne faille point
Qu'elle essaie com Amours point
Ceulx a qui n'en va pas a point,
344 Comme je l'ay
Essaié. Ainsi m'en alay
En penser que jamaiz ne lay,
Et en un val ou j'avallay
348 Apperceü
Les dames qu'eu premier veü;

52

Et a l'approuchier congneü
Que moult de dueil orent eü.
352 Ainsi aloient
Comme celles qui se douloient
Et riens fors penser ne vouloient,
Ne point ensemble ne parloient;
356 Maiz par l'erbete
Chascune aloit toute seulete.
Oncques ne distrent chançonnete,
Ne de cueillir la vïolete
360 Ne leur tenoit;
Maiz chascune son dueil menoit,
De quoy tousjours lui souvenoit,
Et l'une aprés l'autre venoit.
364 Moult loing derriere
Furent leurs gens, si firent chiere
Tant mate et si triste maniere,
Ne leurs habiz ne furent guiere
368 De trop grant monstre.
Je prins a aler a l'encontre
Par un chemin qui le me monstre,
Löant Amours que tel encontre
372 M'est advenuz;
Si alerent les pas menuz
De leurs beaulx, blans, petis piez nuz,
Et les yeulx vers terre ont tenuz.
376 Tant recevoient
De douleurs qu'elles ne savoient
Par quelz lieux ja passé avoient,
Ne moy mesmes n'appercevoient
380 Jusques aprez
Que je fuz d'elles au plus prez,
Dessus la coste d'un vert prez,
Trop mieulx odorant que cyprez.
384 Si dis alors:
« Joie de cuer, ayse de corps,
Mes dames, et bons reconfors,

Meillieurs qu'ilz n'appairent dehors,
388 Vous octroit Dieux! »
   Lors en hault leverent les yeulx
   Et une ou il n'a riz ne gieux
   M'a dit: « Dieu doint qu'il vous soit mieulx,
392 Sire, qu'a nous,
   Et n'aiez ennuy se sans vous
   Salüer passïons, car tous
   Noz cuers sont si plains de courroux
396 Et de tristesce,
   Dont ilz sont encloz en destresce,
   Et assegiez par tele aspresce
   Qu'il n'est en ce monde lëesce
400 Qu'ilz receüssent
   Ne que pour rien vëoir peüssent,
   Sans que leurs douleurs en creüssent
   Et que leurs maulx ne s'esmeüssent
404 Contre plaisance;
   Car en nous a tele habondance
   De dueil et de desesperance
   Qu'il n'est pas en nostre puissance
408 De savoir faindre,
   Ains a paine nous puet contraindre
   Raison, et noz bouches refraindre
   De crïer haultement et plaindre,
412 Car noz cuers sont
   Si plains du desplaisir qu'ilz ont
   Que je ne sçay qu'il ne les rompt;
   A peu que chascun d'eulx ne font
416 Et qu'ilz ne fendent.
   Riens plus noz volentez n'actendent
   Fors que noz corps les ames rendent
   Et par Mort noz vies amendent
420 En brief termine.
   Elle en est seule medecine,
   Si lui requier que je define
   Et qu'ensemble vie et dueil fine,

⁴²⁴ Car enhaÿs
  Ay je du tout terre et païs;
  Tout m'ennuit. Mon cuer envaÿs
  Est du tout; Espoir l'a traÿs,
⁴²⁸ Dont je lamente,
  Car je suy la triste et dolente
  Qui faut a toute son entente.
  J'ay perdu de joie la rente
⁴³² Qui soustenoit
  Mon cuer et en joie tenoit,
  Et bien a mon gré revenoit
  Tout ainsi qu'il appartenoit;
⁴³⁶ Or me default. »
  Lors fist elle un souspir si hault
  Et s'assist, car le cuer lui fault;
  Pasmee fut, ou autant vault.
⁴⁴⁰ Si l'escoutoie
  Et ainsi courcié que j'estoie,
  Toutesfoiz je la confortoie;
  Maiz ja soit ce que je doubtoie
⁴⁴⁴ A enquerir
  De son mal et l'en seurquerir,
  Si osay ge bien requerir
  Que vers elle peusse acquerir
⁴⁴⁸ Si privé bien
  Qu'il lui pleüst, sans doubter rien,
  Me dire quel mal est le sien,
  Et que je le celeroie bien,
⁴⁵² S'il le faloit;
  Et se commander me vouloit
  Aucune chose quë il loit,
  Ou se mon service y valoit,
⁴⁵⁶ Y emploieroie
  Cuer et corps et ce que j'aroie,
  Et si volentiers le feroie
  Comme faire je le pourroie.
⁴⁶⁰ Lors la tressage

Tourna vers moy son doulz visage
Qui tout en grosses lermes nage
Et bien porte au cuer tesmoignage
464 De dueil tresgrief;
Et en souspirant de rechief
Mist ses deux mains contre son chief
Et dist: « Quel douleur, quel meschief!
468 Et quele perte!
Jamaiz ne sera recouverte.
Ha, Mort! Or m'as tu bien deserte
Et courcié le cuer sans deserte,
472 Qui en mourra
Maugré toy si tost qu'il pourra,
Et non pas si tost qu'il vourra.
Maiz ja nul ne l'en secourra
476 Qu'il ne trespasse,
Car ma dolente vie lasse,
Qui a duré trop long espace
Et qui en durté la mort passe
480 Et tant me livre
De douleur, m'en fera delivre.
En desirant mon cuer ensuivre,
Je mourray par ennuy de vivre.
484 Ainsi yra,
Car quant la mort plus me fuira,
Ma vie mesmes m'occira
Et plus tost me desconfira
488 Que Mort qui targe
A m'occire; et si ne vueil targe
Vers elle, maiz l'en prie et charge.
Et elle est a iceulx plus large
492 Qui la defuyent
Qu'a ceulx qui envers elle affuyent
Et a qui leurs vies ennuyent,
Tant qu'ilz l'appellent et poursuyent;
496 C'est contre droit. »
La parole prins cy endroit

Et diz qu'en couroux trop perdroit,
Et cuer et corps piz en vauldroit.
500 Si lui prïay
A genoulz – et me humilïay
Pour la pitié que de ly ay,
Et pas a dire n'oublïay
504 Que de l'ennuy
Avoie aussi, tel que je suy
Autant comment homme nulluy –
Qu'el me deïst du bien de luy,
508 Don ce lui vient
Que tant douloir il la couvient
Et qu'a tel destresce devient;
Et je lui diray qu'il m'avient,
512 Car bien m'avise
Que pensee de dueil seurprise
Son mal maintes foiz amenuyse
Et descroist, quoy qu'on en devise,
516 Car Dueil destraint
Et muce le cuer trop contraint
Quant la bouche fort se refraint.
Si n'est pourtant secret enfraint
520 Se on s'en desclot
A aucun qui volentiers l'ot
Et qui n'est mal parlant ne sot,
Et que jamaiz un tout seul mot
524 N'en soit redit.
Et quant icelle m'entendit,
Bien doulcement me respondit:
« Je ne mect point de contredit
528 Que ne soiez
Si secret comme estre doiez.
Je suis ou point que vous voiez.
Puis qu'ouÿr voulez, or oyez,
532 Car il me semble
Que mon mal a nul ne ressemble,
Et s'Amours vostre cuer vous emble,

De tant pöons nous mieulx ensemble
536 Comme tresfermes ».
Lors dist en beaulx et piteux termes,
Aiant aux rïans yeulx les lermes,
Qui de plorer furent enfermes:
540 « Haa, Destinee
Tresdure, et maudicte journee
Douloureuse, mal fortunee
Qui toute ma joie as tournee
544 En desconfort!
Helaz! Cellui y print la mort,
Que j'amoie tant et si fort
Que oncques cuers d'amans si d'accort
548 Et loyaument
Ne s'amerent si longuement.
Or est mort – honnourablement
Pour lui, et douloureusement
552 Pour moy. Hemy!
Haa, cuer de tresloyal amy,
J'ay eu par toy et tu par my
Tant de plaisir! Or en gemy
556 Quant separee
Suis de toy, seule et esgaree,
De tout plaisir desemparee.
La doulceur m'est chier comparee,
560 Dont je mendie.
Mort, dure Mort, Dieu te maudie!
Et comment es tu si hardie
Que noz deux cuers a l'estourdie
564 As departy
Et l'un loing de l'autre esparty,
Quant point n'assemblerent par ty
Ce qui estoit un seul party?
568 Las! Il n'a pas
En un mesme cuer deux repas,
Maiz une vie et un trespas;
Et doit passer un mesme pas

572 Ce qui est un.
   Joie ou deul, tout est a commun;
   Une mort a l'autre et a l'un,
   Une seule vie a chascun.
576 Tu as ce fait
   De volenté plus que de fait,
   Quant par ton douloureux meffait
   Tu as departi et deffait
580 Si loyal sorte.
   Maiz – c'est ce qui me desconforte –
   Pourquoy ne m'as aussi tost morte,
   Qui ne suis mie la plus forte,
584 Que mon doulz per?
   Ne comment te puis je eschapper?
   Que ton dart ne me vient frapper,
   Ou brief ne tens a m'atrapper
588 Sans tel langueur?
   Maiz son ennuyeuse longueur
   Lui abregera sa vigueur
   En despit de ta grant rigueur
592 Qui entreprent
   Contre moy que Douleur esprent,
   De quoy tresgrandement mesprent.
   Quant tout ne lesse ou tout ne prent
596 C'est desraison.
   Il estoit en fleur de saison
   Et nez de si noble maison;
   Et tu l'as prins contre raison,
600 Ou prejudice
   De moy, dont tu as fait que nice
   Et mal usé de ton office,
   Car il estoit en mon service
604 Et si m'amoit –
   De quoy nully ne le blasmoit –
   Et pour sa dame me clamoit
   N'aultre nul droit n'y reclamoit.
608 Et tu le prens,

Qui n'y as riens, dont tu mesprens,
Et de soulcy toute m'esprens
Quant a un seul coup ne comprens
612 Dame et servant.
Haa, pourquoy fut il si avant,
Ne pourquoy ala il devant
En ses ennemis recevant,
616 Quant par vaillance
Il fist tant de hache et de lance
Que chascun doubtoit sa puissance,
Dont il fist grant honneur a France?
620 Et se Fortune
Eust voulu que par voie aucune
Fust prisonnier, je fusse l'une
Des plus ayses desoubz la lune.
624 Quant on diroit
L'onneur de lui qui flouriroit,
Et que chascun le chieriroit,
Lors mon cuer tant s'esjouÿroit.
628 Maiz autrement
M'en est: je pers entierement
Ceste joie premierement
Et les autres semblablement,
632 Pourquoy j'estrive
A la mort qu'en douleur hastive
De cent mille joies me prive,
Et veult qu'aprés maugré moy vive,
636 Comme qu'il soit.
Et el m'oste ce dont yssoit
Ma joie, et qui me nourrissoit
En plaisir qui n'amenrissoit
640 Tant soit peu oncques.
Pourquoy ne me prent elle doncques,
Ou qu'el ne me print des adonques,
Sans departir pour rien quelconques
644 Nostre joincture?
Fust victoire ou desconfiture,

60

Santé, vie, mort, sepulture,
Tout fust une mesme aventure;
648 Et je pensasse
Qu'aprés lui point ne demourasse.
Au fort se Dieu ne redoubtasse,
De la mort par mort me venjasse.
652 Bien le vouldroie,
Et compaignie lui tendroie
Vive et morte; maiz g'y perdroie
L'ame, et a la sienne touldroie
656 Le bien de grace.
Or je pry a Dieu qu'Il efface
Ses meffaiz et mercy lui face,
Et qu'en brief de son gré defface
660 D'avec le corps
M'ame qui vouldroit estre hors
Et qui ne desire rien fors
Que d'un seul coup fussons deux mors
664 En ceste guerre,
Et les corps tous ensemble en terre,
Tous en un cerqueil bien en serre,
Et peussons paradis acquerre.
668 Si doubleray
Tousjours mon dueil, et m'embleray
Des autres. Si ressembleray
La turtre: a nul n'assembleray,
672 Car tel estoit
Qu'en tout bien vers moy se portoit,
Tant me honnouroit et redoubtoit,
Et en mes maulx me confortoit.
676 Or est extaint,
Dont mon cuer est paly et taint,
Et de toute douleur actaint,
Qui ma couleur a ja destaint.
680 Desir demeure
Et est en mon cuer a toute heure,
Qui en vain et pour nient labeure.

Espoir faut quant Desir court seure,
684 Et se depart
De moy qui de dueil ay tel part
Qu'a bien pou que mon cuer ne part
Dehors, et qu'en deux ne se part,
688 Quant Souvenir
Me fait en pensee tenir
Comme il souloit vers moy venir,
Et son gracïeux maintenir,
692 Et les doulz mos
Qu'il me disoit a tous propos;
Car il avoit, bien dire l'os,
De tous les gracïeux le los.
696 Moult lui sëoit
Son parler et bien l'assëoit,
Car trestout deshonneur hëoit,
Et doulcement me festëoit
700 Quant il venoit;
Maiz pas long temps ne s'en tenoit –
Desir souvent l'y admenoit.
Ris et gieux, tout lui advenoit.
704 Dieux, quel dommage!
Lessiee m'a le bel et sage,
De hault sang et royal lignage,
Maiz plus noble quant du courage,
708 Qui avoit a droit heritage
M'amour acquise,
Dont par long temps m'avoit requise
Et si doulcement mercy quise.
712 Maiz sa valour m'avoit conquise,
Et si l'avoie
Essaié que son cuer savoie
Estre si mien et par tel voie
716 Que de lui doubter ne devoie;
La affermee
Yert ma volenté et fermee,
Qu'Amours a depuis confermee.

62

720 Maiz ceste douloureuse armee
    Aventuree
    Et Fortune desmesuree
    Ne me puet avoir enduree
724 Ma seule joie avoir duree
    Saison demie.
    Las, Fortune m'est ennemie,
    Qui est aux desloiaulx amie,
728 Quant lessier ne me pouoit mie –
    Dieu la confonde –
    Une seule joie en cest monde,
    Qui en mal a nul ne redonde.
732 Et el seuffre que maint habonde,
    Tout a son ayse,
    En quelque chose qui lui plaise,
    Sans ce qu'a elle en riens desplaise
736 Et sans congnoistre qu'est mesaise,
    Qui deservy
    N'a pas estre des biens servy
    Qu'Amours depart, car asservy
740 N'est pas son cuer, maiz desservy;
    Et debouté
    En doit estre, quant redoubté
    N'a sa dame, ains s'est arrouté
744 A Faintise qui l'a bouté
    En tel haultesce
    Qu'il est, par faulse subtilesce
    Et decepvance qui l'adresce,
748 Larron d'amoureuse richesce
    Qu'il a emblee
    Et de plusieurs lieux assemblee,
    Dont la joie n'est point doublee,
752 Et mainte dame en est troublee.
    Maiz il eschiet
    Que une foiz, qui bien a point chiet,
    L'onneur des faulx amans dechiet
756 Et qu'en la fin il leur meschiet,

Quant volentiers
Ont tenu les mauvaiz sentiers
Et qu'ilz n'ont point esté entiers
760 En Amours qui ne passe en tiers.
De telz assez
En est, trop plus que es temps passez,
Qui tant de sermens ont cassez
764 Et n'en pevent estre lassez.
Leur bouche nomme
Souvent mainte qu'a tort renomme.
Toutesfois scevent ilz bien comme
768 Nature un seul cuer a un homme
A ordonné;
Si ne doit estre abandonné
Ailleurs depuis qu'il l'a donné,
772 N'estre ne lui doit pardonné,
Car ordonner
Veult Amours, pour guerredonner
Les bons, qu'autel bien puist donner
776 Une com cent et foisonner,
Et si rassis
Est Amours qu'autant a assis
De pouoir en une qu'en six.
780 Plus lui plaist et mieulx lui a sis
En une mectre
Son cuer, que partout s'entremectre
De servir, soffrir et soubmectre,
784 Rien tenir et foison promectre.
Telz ne pourroient
Savoir qu'est bien. Pou s'en dourroient
Garde que telz gens secourroient,
788 Quant ilz diroient qu'ilz mourroient
Pour amours fines,
Et feroient si tristes signes,
Manieres humbles et benignes,
792 Pour rober ce dont ne sont dignes.
Et se jouÿ

N'en avoient, comme esjouÿ
Ilz se vanteroient qu'ouÿ.
796 Helaz, mon cuer a tant fouÿ
D'eulx les paroles
Et leurs grans loberies foles,
Leurs decevans blandices moles!
800 Moult ay desprisié telz frivoles.
Maiz tant rouvay
Que un tel qui me plaisoit trouvay,
Que bon et loyal esprouvay,
804 De qui tous les faiz approuvay.
La m'arrestay,
Et a l'amer tout apprestay
Le cuer que de fendre prest ay,
808 Que je lui donnay et prestay;
Et en eschange
Prins le sien par amoureux change.
Or pers tous deux par voie estrange
812 Dont je vois, nuz piez et en lange,
Prïer la Vierge
Qui des cieulx est vraie concierge,
Lui presentant un ardant cierge
816 Afin que par sa grace acquierge
Grace et pardon,
Et a nous deux vueille par don
Octroier qu'ainsi ne tardon
820 L'un aprés l'autre, ainçois gardon
Par sa pitié,
Vifz et mors, la nostre amictié.
Bien a cil sa foy acquictié,
824 Dont mainte cronique et dictié
Ja composé
Deust estre, car tant a osé
Qu'il a corps et vie exposé,
828 Sans estre lasche ou reposé,
Comme vaillant,
Encontre ceulx qui assaillant

Venoient France, en leur baillant
832 De courage non defaillant
Assez affaire.
Et se chascun eust voulu faire
Pareillement sans soy deffaire,
836 Anglois n'eüssent peu parfaire,
Maiz emportassent
Noz maulx et s'en desconfortassent,
Et autre part se transportassent;
840 Et desormaiz se deportassent
De nous grever.
Bien pevent envïeux crever :
Sa mort fait son honneur lever
844 Contre qui vouldrent eslever
Mauvaiz renon.
Or n'ont ilz veu en lui se non
Loyauté dont il a le nom,
848 Puis que ceulx pour loyaulx tenon
Qui se maintiennent
Si bien que foy et devoir tiennent
Vers leur seignieur et le soustiennent
852 Jusqu'au mourir, et entretiennent
Leur loyauté
Au besoing, et la fëauté
De leur dame et de sa beauté,
856 Sans penser mal ne crüauté
N'aguetz subtiz.
Telz sont les meurs des cuers gentiz
A quoy doivent estre ententifz
860 D'armes ne d'amours apprentifz :
Humbles, piteux,
Et d'onneur sans plus couvoiteux;
N'estre ne doivent cremeteux
864 De rien si non de faiz honteux.
Et tel estoit
Cellui ou mon cuer s'arrestoit,
Qui tant de joie m'apprestoit

868 Et doulcement m'amonnestoit
   Que lie et cointe
   Me tenisse et que sans racointe
   Son cuer estoit du mien acointe,
872 Une joie en deux cuers adjoincte;
   Et tant jurer
   M'en souloit sans soy parjurer.
   Pourquoy ne m'a il peu durer?.
876 A quoy s'ala aventurer?
   Tant honnouree
   Fusse, se me fust demouree
   Celle joie. Or suis esplouree
880 Sans ja vëoir, en amouree
   Plaine d'angoisse
   Et de vain desir qui me froisse,
   Dont je n'ay membre qui ne croisse
884 Ne sens que ne me descongnoisse.
   Haa, peu loyaulx,
   Fuitifz, lasches et desloyaulx,
   Qui n'amez qu'estaz et joiaulx!
888 Vous lessastes tous les royaulx,
   Et leur tournastes
   Les dos et vous en retournastes,
   Que tant soit pou n'y sejournastes,
892 Car alors les abandonnastes,
   Tous mescreüz
   De traÿson et recreüz,
   Dont le nombre fut descreüz
896 Et les cuers des Anglois creüz,
   Car par troppeaulx,
   Non obstans les cris et rappeaulx
   Des bons, couvristes les cruppeaulx
900 Des hëaumes. Que de voz peaulx
   Vifz escorchiez
   Soiez vous, et si bien torchiez
   Que jamaiz ne vous renforchiez!
904 Telz gens deussent estre porchiez,

67

Ou faisans viles
Oeuvres par citez et par villes,
Quant aux armes sont inutiles;
908 Et veulent avoir cens et milles
Pour leur bobant,
Et vont les povres gens robant,
Decevant le monde et lobant!
912 Ilz sont bons en ne soy hobant
Soubz cheminees,
Quant leurs bouches sont avinees
Et ilz ont les bonnes vinees.
916 Lors comptent de leurs destinees
Les quoquars foulx;
Alors se vantent des gros coupx
Et font gras despens et grans coustx.
920 Et qui que soit prins ou rescoux,
Nul d'eulx n'y pense;
Prestz seroient a la despense,
Maiz trestardifz a la deffense.
924 L'un maugree Dieu; l'autre tense
Par grant yvresce,
Puis dort jusqu'a dix par paresce,
Maiz d'une bataille en aspresce
928 Scet bien tirer son cul de presse
Et son hëaume
Gecter au besoing du royaume.
Plus scet aux dez ou a la paulme;
932 Mieulx dort en lict que sus du chaume.
Dieux, quel rousee!
Tendres sont comme une espousee,
Tremblans comme brebiz tousee.
936 De fievre quartaine espousee
Soit tel merdaille!
Et ja povreté ne leur faille
Tant que chetifz mourir les faille
940 De fain, mis sus un pou de paille
Et delessiez.

68

Quant au besoing vous ont lessiez,
Princes royaulx qui les paissiez,
944 Leurs lignages ont abessiez
Et diffamez.
Moult ont leurs honneurs entamez,
Que leurs peres ont tant amez
948 Qu'ilz en furent nobles clamez,
Don sont venuz
Iceulx qui n'ont pas maintenuz
Leurs bons faiz ne bien retenuz,
952 Quant a honte sont revenuz;
Dont tant me dueil
Que vëoir n'en puis de bon œil
Un tout seul, ne bien ne leur vueil,
956 Car ilz sont cause de mon dueil.
J'ay acheté
Leur recrëant escharceté:
Mort est cil par leur lascheté,
960 Qui ne puet estre racheté.
Dieu en ait l'ame!
Leur fuite est cause, a leur grant blasme,
De la perte et de leur diffame.
964 L'eusse je fait, moy qui suy fame,
Ou le feroie,
S'il m'afferoit? Mieulx ameroie
Mourir, et plus aise en seroie,
968 Car honneur ainsi garderoie
A heritage;
Et c'est trop plus grant avantage
Mourir par honneur en ostage,
972 Qu'aloignier sa vie a hontage.
Mieulx vault oultrer
Le corps, que soy faire moustrer
Au doy sans oser encontrer.
976 Les bons n'en compaignie entrer.
Doncques pour voir,
Plus me plaist le loyal devoir

De cil que j'aym sans decevoir,
980 Et moins en gré doy recevoir
Qu'en la durté
De bataille ou s'est ahurté,
A trouvé moins de la seurté
984 Que ceulx qui onq n'y ont hurté.
J'ay grans remors,
Dure Mort, dont plus tost ne mors
Ceulx qu'a riens valoir sont amors
988 Et autant servent vifz que mors.
Moins aggrëable
M'est sa mort, combien que honnourable
Soit, car present plus delectable
992 Me fust sa vie et prouffitable.
Or est noiant,
Dont ma vie m'est ennoiant
Sans la sienne, car plus aiant
996 Fust de bien, et mieulx fust soiant.
Si suy contrainte
De douleur trop plus qu'autre mainte,
Car des bons ne puet estre rainte
1000 La mort, ne trop plouree ou plaincte;
Maiz des meschans,
Qui les autres sont empeschans
Et ne valent n'en bois n'en champs,
1004 Deust estre la mort despeschans,
Car ëureuse
N'en est la vie päoureuse,
Maiz faillie et pou vertüeuse;
1008 Si n'est point tele mort piteuse.
Maiz bien plourer
Doy d'aprés la mort demourer
De cil qui pour s'enamourer
1012 De moy s'est fait tant honnourer;
Si suy donnee
A Desconfort et adonnee.
Si m'a Amours guerredonnee

1016 Qu'Espoir m'a toute abandonnee,
     Et plus ne voient
     Mes yeulx un seul bien qu'ilz avoient,
     Qu'il couvient que plus ne revoient.
1020 Pou perdroie s'ilz me crevoient,
     Car tout de vray
     Jamaiz par eulx n'appercevray
     Chose dont joie recevray;
1024 Ains mourray quant mourir devray,
     De joie nue,
     Sans estre a Fortune tenue
     N'a Amours, qui d'une venue
1028 Pas une esperance menue
     Ne me delaissent,
     Car en toute douleur me laissent,
     Dont leur pris grandement abaissent,
1032 Car du premier desir me paissent
     Tousjours autel.
     Au fort, puis qu'il estoit mortel,
     Me demourra pour tout chatel
1036 Le loz d'avoir amé un tel.
     Ainsi s'acquicte
     Mon triste cuer que Mort despite.
     Si pry Dieu qu'Il me desherite
1040 De ma meschant vie maudicte
     Qui tant me greve
     Et qui a la mort a prins treve
     A celle fin qu'el ne l'aggreve;
1044 Si sera ma vie plus breve,
     Car plus n'en puis. »
     A tant elle se teut; et puis
     Du profont du cuer et du puis
1048 Tant gecta de souspirs depuis
     Et tant de plains,
     Et les yeulx de lermes si plains
     Avoit en faisant ses complains
1052 Qu'en moy mesme en plourant la plaings,

Ne rimoier
Ne puis le cas sans lermoier,
Sans douloir et sans esmoier.
1056 Moult y pensay a par moy hier
Et me merveille,
Veu le dueil qu'elle s'appareille,
Que sa grant beauté non pareille
1060 Et sa couleur fresche et vermeille
Puet demourer;
Maiz onq ne vy descoulourer
Son vis que deul fait esplourer,
1064 Ains plus lui sëoit a plourer
Que rire a maintes.
Lors lui diz : « Bien voy que voz plainctes,
Ma dame, si ne sont pas fainctes
1068 Maiz d'angoisse toutes contraintes;
Maiz reprenez
Courage, et souffrir apprenez,
Car trop grandement mesprenez,
1072 Se a vous mesme guerre prenez.
Qui son dueil cœuvre
Trop fort, double mal en recœuvre,
Car tristour est d'une tel œuvre
1076 Qu'elle descroist, qui la descœuvre
Ou il affiert,
Et qui trop la cœuvre, elle fiert
Le cuer et dedens se refiert;
1080 Maiz plus s'espart, et plus brief yert
Triste penser.
Mectez paine d'ailleurs penser
Pour voz douleurs recompenser;
1084 Et en vous gardant d'offenser,
Vous avisez.
Avec ces dames devisez
Et ensemble a confort visez.
1088 Croiez moy et vous ravisez. »
Ainsi disoie

72

A la dame que moult prisoie,
A qui de son bien devisoie;
1092 Et les trois autres avisoie
Pareillement
Qu'elles voulsissent telement
La conforter, qu'allegement
1096 Prenist pou a pou bellement,
Quant une d'elles
Respondit: « Las, je suy de celles,
Qui tant ay de douleurs morteles
1100 Que nulle autre ne les a teles;
Si suy bien loing
D'avoir de conforter le soing,
Quant j'ay de confort mieulx besoing
1104 Qu'elle n'a, et que plus ressoing
Mon mal eür
Qui ne me lesse estre asseür,
Ne pour rien je ne m'asseür:
1108 Et elle est hors de la peür
Et de la crainte,
Dont je suy durement estrainte
Et en cuer et en corps contrainte
1112 Et de toute joie restrainte.
Si vous diray
Mon fait, et ja n'en mentiray,
De l'amour dont ne partiray
1116 Jamaiz, quoy que maint souspir ay
Pour ce porté,
Dont mon cuer n'est pas conforté,
Qui de vraie amour enhorté,
1120 S'est a un tout seul assorté,
Et se lÿa
A cil qui tant s'umilïa
Qu'a moy bien amer s'allÿa –
1124 Et tant de graces en ly a.
Maiz tant avint,
Ains que d'ans eüst jusqu'a vingt,

Qu'a tort souvent lui mesavint
1128 Par Fortune; et jusques la vint
Puis que dix ans
Ot que par mauvaiz mesdisans,
A verité contredisans,
1132 De lui et des siens maldisans,
Fut moult blechié
Son honneur, dont ce fut pechié,
Car il est si bien entechié
1136 Et a tout honneur adrechié
Qu'il est loué
De tous les bons et advoué
De vertus largement doué.
1140 Mais Fortune a son mal voué,
Comme il appert –
Mon cuer ce que plus chier a, pert
Et on le voit tout en appert –
1144 Combien qu'il soit sage et appert.
Maiz pour entendre
Son fait : depuis s'enfance tendre,
Qu'il pot le pié en l'estrief tendre,
1148 Fortune ne voult plus actendre
A l'assaillir;
Et depuis ne lui pot faillir
Dueil et Couroux qui tressaillir
1152 L'a fait souvent et mal baillir.
Maiz quant passé
A un ennuy qui l'a lassé,
Fortune a tantost compassé
1156 Un mal tout nouvel et brassé,
Que on n'y prent garde.
Je croy que Dieu les bons regarde
Et qu'aprés dueil joie leur garde,
1160 Maiz trop demeure et trop me tarde;
Et moult sejourne
Fortune qu'el ne se retourne,
Qui de le vëoir me destourne,

¹¹⁶⁴ Dont je remains pensive et mourne.
Et si sachiez:
Mon cuer y est si atachiez
Et mes pensés tant enlachiez,
¹¹⁶⁸ Noz biens, noz maulx entrelachiez
Que, sans mentir
Et sans jamaiz s'en repentir,
Bonne amour me fait consentir
¹¹⁷² A pareilz maulx ou biens sentir
Que sont les siens,
Et puis que tout mien je le tiens,
Je les reçoy comme les miens
¹¹⁷⁶ A butin, noz maulx et noz biens;
Ne sa diverse
Fortune n'ara ja tele erse
Sus nostre amour qu'elle renverse
¹¹⁸⁰ Noz volentez a la reverse,
Et quant vourroit
Faire du pis qu'elle pourroit,
Nostre amour tousjours demourroit
¹¹⁸⁴ Ou chascun de nous deux mourroit.
Quant plus s'efforce
De nous nuyre, l'amour s'enforce,
Ne je n'y voy rien de bien fors ce
¹¹⁸⁸ Que Fortune en amour n'a force.
Si ne tien compte
Qu'elle face a nostre amour honte;
Jamaiz Fortune ne seurmonte
¹¹⁹² Amours qui les treshaulx cuers monte
Que moult prison.
Maiz onq ainsi ne fut pris hom
De durtez, car sans mesprison,
¹¹⁹⁶ Mort d'amis, guerres et prison,
Couroux et pertes,
Blasmes par mensonges appertes,
Traÿsons, mauvaistiez couvertes
¹²⁰⁰ A essaiees et expertes,

En soy taisant
Et bien contre le mal faisant,
Doulcement son cuer appaisant,
1204 Qui n'ot onq un seul jour plaisant;
Maiz envaÿ
A esté de maint et haÿ,
Qui volentiers l'eussent traÿ,
1208 Ce que pas deservy n'a y.
Point ne saroit
Estre autre que doulz, et n'aroit
Jamaiz cuer que rien lui plairoit
1212 Qu'il sceust qu'a autre desplairoit,
Car raisonnable
Est, courtois, doulz et amïable,
Pacïent, piteux et traictable;
1216 Et veult estre a tous aggrëable
Sans que on perçoive
Qu'il blasme autre, grieve, ou deçoive,
Maiz chascun doulcement reçoive.
1220 Si ay dueil que nully conçoive
Blasme ou reprouche,
Ne que Fortune tant approuche
Sur cil qui plus au cuer me touche,
1224 Quant oncques n'yssit de sa bouche
Mot deshonneste;
Ains fait a chascun chiere et feste,
Prest d'octroier toute requeste,
1228 Sans nul blecier ne que sa teste.
N'oncques haitié
Ne fut que on pensast mauvaitié.
Ne il n'est deceveur affaitié,
1232 Maiz prest a tout loyal traictié,
Bien entendant;
Tousjours a bonne fin tendant
Va sa jennesce en amendant.
1236 Or est prins en soy deffendant
Des adversaires

Qui sont a son prince contraires,
Aprés tous ses autres affaires
1240 Et des meschiefz plus de cent paires
Qui l'ont grevé,
Dont encor n'est pas relevé.
Si est mon cuer tant abrevé
1244 De douleur qu'a pou n'est crevé,
Quant si planté
Se sent de sa joie, en planté
De tristour ou tant a hanté;
1248 Et mal sus mal n'est pas santé
Maiz grief dangier.
Dont se veult Fortune estrangier
De soy mesmes, quant plus changier
1252 Ne scet son faulx tour estrangier
Et qu'elle maint
Tousjours vers lui dure, et remaint
A lui pire qu'a autre maint.
1256 Si pry Dieu qu'Il le me ramaint
Par sa benigne
Pitié, car pour ce je chemine
Comme piteuse pelerine,
1260 Lui prïant, quoy que n'en suy digne,
Qu'adez garder
Le vueille et a lui regarder.
Fortune fait son bien tarder,
1264 Dont fort est soy contregarder:
A coup adviennent
Ses tours qui d'ordre point ne tiennent,
Maiz si au rebours se maintiennent
1268 Que aux bons les adversitez viennent,
Et sont foulez
Et par Fortune triboulez,
Dont mains cuers en sont adoulez,
1272 Quant bien sont en amours coulez.
Et quant ilz voient
Le seul bien qu'en ce monde avoient –

Dont tant de joie recevoient,
1276 Ou tous leurs souhaiz achevoient –
Si costoier
Par Infortune et guerroier,
Peser leur doit et ennoier,
1280 Car cuer amant est moitoier
A part equale
De s'amour seule et principale,
Soit l'aventure bonne ou male,
1284 Rire, plourer, couroux ou gale;
Dont raison yere
Qu'en terre estrange et maronniere
De cuer soie o lui prisonniere
1288 Et de sa prison parçonniere,
Sans y clamer
Franchise ou le droit entamer
D'Amours qui me fait affamer,
1292 En souspirant dela la mer,
Ou mon cuer vire
Et passe plus tost que une vire
Sans batel ou autre navire.
1296 Et le corps, palle comme yvire,
Remaint deça
Sans cuer et sans joie pieça,
Qui puis vers moy ne s'adreça
1300 Que Fortune tant le bleça.
Si suis alee,
En toute joie tresalee,
De cuer dela la mer salee;
1304 Maiz, quoy que la grandeur a lee
Si qu'esgarer
S'y puet on sans terre apparer,
Jamaiz ne pourra separer
1308 Noz cuers qu'Amours fait reparer
Ensemble et joindre
En un seul vouloir que conjoindre
Les fait, et comme egaulx adjoindre

78

¹³¹² Sans qu'il y ait greignieur ne maindre.
Amours oblige
Noz deux cuers en un, ainsi di ge
Comme deux raims en une tige.
¹³¹⁶ Il se dit mon vray servant lige
Et je suy sienne;
Mot n'y a si non " tien " et " tienne ".
Se maistrise y a, elle est mienne
¹³²⁰ Par la loy d'Amours ancïenne,
Qui l'ordonna
Pour les dames et leur donna
Maistrise, ou moult noble don a,
¹³²⁴ Et par ce leur guerredonna
Les biens qui yssent
De leur grace quant s'eslargissent
En pitié vers ceulx qui languissent
¹³²⁸ D'amours dont les cuers amaigrissent
Des plus puissans
Qu'Amours fait vrays obeïssans
Par hommage, et recongnoissans
¹³³² Celles dont leurs biens sont yssans
Comme maistresses
Et treshonnourables princesses,
Qui des amoureuses richesces
¹³³⁶ Font escharcetez ou largesces
Si qu'elles veulent,
Dont quant l'un chante, autres s'en deulent.
Maiz les folz s'arrester n'y seulent,
¹³⁴⁰ Ne que moulins qu'a tous vens meulent;
Puis quant batie
Ont leur faintise, Amour atie
Prent encontre eulx et les chatie,
¹³⁴⁴ Dont ilz portent chiere amatie
Et souvent plourent.
Si s'en venge Amours qu'ilz s'amourent
De teles qui ne les secourent
¹³⁴⁸ Pour les mauvaiz noms qui d'eulx courent,

Dont ilz reçoivent
Tel guerredon qu'ilz se deçoivent
Quant les autres decevoir doivent.
1352 Et tel qu'ilz l'ont brassé, le boivent
Sans viser y,
Car tost ou tart, aspre ou sery,
Bienfait n'est en amours pery,
1356 Ne mal qui ne soit remery
Quoy qu'on actende,
Car Amours qui les cuers amende
Veult des meffaiz avoir l'amende
1360 Et qu'a chascun son louyer rende,
Comme vray juge
Qui des amoureux debaz juge.
Maiz pour plaindre, a lui a refuge
1364 Ne fut onq m'amour; si ne fuz ge,
Car tous adjoins
Deux cuers en un vouloir conjoings
Avons, d'un mesme desir poins.
1368 Et se m'aist Dieu a mes besoings,
Que tant l'amoie
Et aime que je le nommoie
" Tout mien ", et lui moy " toute moie ".
1372 J'en ay chanté: or en lermoie,
De cuer marrie.
Or est bien la joie amenrie
Que doulce amour avoit nourrie,
1376 Sans que jamaiz je chante ou rie,
Se Dieu n'y œuvre
Et que le mal qu'a paine cœuvre
Cesse, par si que le recœuvre,
1380 Car fors enviz mon œil ne s'œuvre
Ne n'ouvrera,
N'en rien plaisir ne trouvera,
A tant qu'il le recouvrera
1384 Et que Dieu plus y ouvrera
Par abbregié,

Ainsi qu'il puisse estre allegié
Des maulx dont il est assegié,
1388 Qui tousjours lui ont aggregié.
Comme esmaié,
Tous maulx fors mort a essaié;
Le deu de Fortune a paié,
1392 Si deust du compte estre raié,
Car sans doubter
El l'a tant voulu debouter
Que plus n'y savoit que bouter
1396 De mal sans la mort adjouxter.
Maiz il me semble,
Quoy qu'Amours noz deux cuers assemble,
Mal fait que toute joie m'emble,
1400 En prenant guerre a deux ensemble.
Si lui suffise
S'elle me greve en mainte guise,
Sans ce qu'elle me desconfise
1404 En m'ostant la doulce franchise
De ce vëoir
Qui tant doit a mon cuer sëoir
Que mieulx ne le puis assëoir;
1408 Si l'aym d'amour sans dechëoir.
Foible et malade
Vint au dur jour a couleur fade,
Aprés que ot fait mainte balade
1412 Au lict, ou rien ne lui fut sade
Ne savoureux
Fors les seulx pensers amoureux;
Maiz en ses acez rigoureux
1416 N'y lessa a penser pour eulx.
Maiz quant passee
Fut la fievre ou corps ou cessee,
Si estoit l'autre en la pensee,
1420 Qui la tenoit entrelacee.
Si ne durast
Neantmoins, ne jamaiz n'endurast

Que ou dur champ ne s'aventurast
1424 Afin que nul n'en murmurast
Contre raison,
Si que on a fait sans achoison.
Maiz or a chascun mauvaiz hom
1428 De s'aviser belle saison;
Et s'ilz ne daignent
Pour l'orgueil en quoy ilz se baignent,
Au moins les œuvres vous enseignent
1432 Qu'a lui mal vouloir ilz mespreignent.
A Dieu pleüst
Que mon cuer pour le sien peüst
Estre hostage, et nul n'en sceüst
1436 Rien dont blasme venir deüst;
Si changisson,
Car j'aroie sa marrisson
Et il saroit quele frisson
1440 C'est de penser a ce que son
Cuer lui ravit
Et que de treslong temps ne vit.
En douloureuse prison vit
1444 Et ne sçay comme il s'en chevit.
Bien me venist
Se ainsi fust ou s'il advenist,
Car quoy que le corps devenist,
1448 De m'amour au cuer souvenist;
Si me fauldroit
Son ennuy, et ne me chauldroit
De la douleur qui m'assaudroit.
1452 Son aise un plaisir me vauldroit,
Car plus me bleschent,
Le cuer courcent et le corps seichent
Ses tresgriefz maulx qui s'entreveschent
1456 Aux miens et ma pensee empeschent,
Et me deffont
Plus que mes propres griefz ne font,
Dont tout mon corps en lermes font

¹⁴⁶⁰ Et j'en souspir de cuer profont.
Plus que on ne cuide,
Mon mal fait place aux siens et wide,
Et le sien est des miens la guide,
¹⁴⁶⁴ De dueil plaine et de lermes wide.
A brief compter,
Mon mal, qui le veult raconter,
Puet toutes lermes seurmonter
¹⁴⁶⁸ Ne pleurs n'y pevent riens monter.
Tant ay plouré
Qu'il ne m'en est plus demouré,
Dont j'ay le cuer alangouré
¹⁴⁷² Et le vis tout descoulouré
Et arrousé.
De nuit mes yeulx n'ont reposé,
Car de jour moustrer n'ay osé
¹⁴⁷⁶ Cuer triste en corps mal disposé,
Foible et tremblant.
J'ay fait mes regraiz en emblant
Et pour estre aux gens ressemblant,
¹⁴⁸⁰ De cuer courcié, joieux semblant.
Et se je dance,
Ce ne fait pas faire habondance
De joie në oultrecuidance,
¹⁴⁸⁴ Maiz n'y a en toute la dance,
J'en suy certaine,
Pensee de douleur plus plaine.
Ce me fut plaisir: or est paine;
¹⁴⁸⁸ Ne il n'est harpe, orgue ne doulçaine,
Luz n'eschequier,
N'instrument que on sceust appliquier,
Que desormaiz ouÿr requier
¹⁴⁹² Puis que je n'ay ce que je quier.
Las! Je souloie,
Lors que de riens ne me douloie,
Les amer; et tant les vouloie
¹⁴⁹⁶ Que au son sembloit que je voloie,

Toute empennee
De joie, ne toute une annee
Ne fusse de dancer tennee,
1500 Lasse, mate në enhennee.
Si m'enhortoit
Amours et tant me supportoit
Par les joies qu'il m'apportoit
1504 Que le cuer le seurplus portoit.
Tout y aloit
Et rien pour rien ne me faloit,
Car j'amoie qui tant valoit
1508 Qu'a mon cuer d'autre ne chaloit.
Tant habondoient
Mes plaisirs, qui d'un seul sourdoient
Et en un mesmes redondoient,
1512 Que tous les ennuis confondoient;
Ainsi resourse
Estoie et en lëesce sourse.
Deux ruisseaulx d'amoureuse sourse,
1516 Penser et Souvenir, leur course
Vers moy prenoient.
Lors de moy plaire se penoient
Et tant de joies m'amenoient,
1520 Qui toutes d'une main venoient;
Maiz la misere
De Fortune, diverse mere,
A si troublé la sourse clere
1524 Que je n'y truys savour qu'amere,
Tant a meslez
Les ruisseaulx du long et des lez,
De Melencolie reslez
1528 Et de Tristece entremeslez.
Haa, dure Guerre,
Pourquoy veulx sur moy tant conquerre,
Sans deffier, que d'une serre
1532 M'ostes mon paradis en terre,
Ma lie chiere

Et la joie que j'ay plus chiere,
Sans acomte ne sans enchiere?
1536 Bien m'est Fortune estrange archiere
Et ennuyeuse,
Si semble qu'el soit envïeuse
Que j'aie ja vie joieuse
1540 Pour plaisance delicïeuse,
Doulce et privee,
Qu'elle a de moy a tort privee
Comme oultrageuse desrivee;
1544 Et prent contre moy l'estrivee
Par dures sortes.
Helaz, Amours, pourquoy m'apportes
En foible cuer cent douleurs fortes,
1548 Dont cent devroient estre mortes?
Neantmoins je vifs,
Trop piz que morte a mon avis.
Onq en corps vif telz maulx ne vis.
1552 Je ne sçay comme j'en chevis,
Maiz plus ressoigne
Ce qu'Espoir me fuit et esloigne,
Qui deust entendre a ma besoigne
1556 Comme cil qui des amans soigne
Et doit vouloir
Que par lui puissent mieulx valoir.
Amours l'a fait pour moins douloir
1560 Capitaine de mon vouloir,
Il s'en yroit
Souvent et se departiroit —
Et Ennuy le consentiroit —
1564 Se Regret ne le ratiroit.
Souvent ouvert
Lui a l'uiz tout a descouvert
Empirement de mal couvert,
1568 Maiz Souvenir l'a recouvert
Et ramené.
En ce point se sent pourmené

Mon povre cuer et demené
1572 Pour cil que j'aym plus que homme né,
Se Dieu m'aÿe;
Maiz seule suis et esbahie,
Car mon cuer tout d'une envaÿe
1576 M'a pour le bien amer haÿe
Et deguerpie.
Si porte en lieu de cuer, tapie
Pensee qui m'est dure espie
1580 Et n'en puis estre descherpie;
Ains me presente
Tous les jours ainsi que de rente
Son doulz semblant qui represente
1584 Sa personne comme presente.
Lors assaillie
Suis de Penser qui m'a baillie
Sa doulce ymage et entaillie
1588 En ma pensee travaillie
Et que tollir
Ne l'en puet nul, në abolir,
Oster, effacer, ne polir
1592 Sans corps et vouloir demollir,
Car departie
N'en sera, quant de ma partie,
Tant que l'ame soit hors partie.
1596 Tout sera une departie
Quant l'un mourra
Et que plus amer ne pourra.
L'autre au besoing lui secourra;
1600 Toute l'amour lui demourra
Pour tous les deux,
Car s'il se deult et je me deulx,
Le derrenier mort d'ambedeux
1604 Ara les couroux et les deulx
Que l'autre tient;
C'est droit puis que l'amour se tient.
Com hoir prochain lui appartient,

1608 Car qui le plus vit, le tout tient.
Amours ses les,
Ses testamens et ses delés,
Ne fait mie de chappellés;
1612 Qui ne le scet, essaie les.
Maiz ja muser
N'y doit aucun ou s'abuser,
S'il veult grans douleurs refuser
1616 Ou de grans biens ne scet user.
Bien s'en rigole
Tel qui n'en scet fors par parole,
Maiz oiseau bien pris ne s'en vole.
1620 Point ne faut aler a l'escole
Pour estre sage
D'Amours et de son fort ouvrage.
Clercz n'y treuvent point d'avantage;
1624 Plus apprent l'essay que lengage.
De ce me vant,
Que les faiz vont trop plus avant
Que ce que on pense par avant.
1628 Je parle en ce comme savant,
Non que je vueille
Dire que je m'en plaigne ou dueille;
Il me suffit qu'Amours m'accueille,
1632 Quelque douleur que j'en recueille,
Entre ses sers.
Pour prendre un seul servant, je sers
Amours, et servie m'assers,
1636 Dont j'ay piz que je ne desers
Pour louyer, mez
Amours a qui je me soubmez
Livre a sa court entre les mez
1640 Tousjours Douleur pour entremez:
Trop s'empliroient,
Saouleroient et rempliroient
Ses servans, si n'acompliroient
1644 Leur service et s'en partiroient,

1 Comme j'entens,
   En trouvant cause de contens,
   Car pou de servans sont contens
1648 D'endurer grant aise long temps;
   Amours se gardent
   Quant les joies plus se retardent.
   Se amans aux biens passez regardent,
1652 Tant moins en ont et plus en ardent,
   Car Amours loirre
   Les cuers comme faucon au loirre,
   A qui l'en fait souvent a croirre
1656 De donner ce qu'on veult accroirre.
   Jeuns, les atachent
   Aux perches ou leurs giez se lachent,
   Afin qu'aprés par fain pourcachent
1660 Mieulx la proie qu'a prendre tachent
   Sans y baster.
   Puis leur donnent pour soy haster
   Un pou de la proie a taster.
1664 On ne puet l'oiseau mieulx gaster
   Que le repestre
   Si que säoul il en puist estre:
   Lors s'essore et lesse son mestre
1668 Et se va rendre en un autre estre.
   En ce ne blasme
   Jamaiz Amours, homme ne fame
   S'aprés joie, de dueil m'enflame;
1672 Fors a moy ne m'en pren a ame.
   Maiz plus me poise
   Car mon cuer est, quel part qu'il voise,
   En un, que onq de terre françoise
1676 N'issit personne plus courtoise.
   Et si me face
   Dieu pardon, qu'a paine cuidasse
   Que Nature en si pou d'espace
1680 Eust mis tant de bien et de grace,
   Qu'en un seul homme

Fust le bien de tous mis en somme.
Son nom, qui il est, quoy ne comme,
1684 La voix le taist; le cuer le nomme.
Desir enquiert
De lui, Souvenir le requiert,
Espoir l'actent, Regret le quiert
1688 Et Loyauté mon cuer seurquiert.
Mes regars tendent
Ou il est, mes pensers l'actendent;
Mes oreilles ailleurs n'entendent
1692 Fors ouÿr que ses griefz amendent.
Tout y travaille
Et mesmes, dont je me merveille,
La douleur qui si me resveille
1696 Pour moy faire plus veillier, veille
D'aguet. En tant
Me vont d'un accort tourmentant,
Dont mon vouloir est consentant,
1700 Et mon cuer n'en est repentant.
J'ay bien puissance
De confesser ma desplaisance,
Maiz quoy que je faiz ma penance,
1704 Je n'ay goute de repentance.
Plus tourmenté
Je sens mon cuer, plus est tempté
Et prent plaisir en orfenté
1708 Maugré moy, par ma volenté.
Trop argüer
Me fait Penser et tressüer:
Que l'amant sans amer, müer
1712 Puet, esjoïr et puis tüer,
Pour moy le sçay;
J'ay de tous deus fait long essay.
Puis qu'a amer pris, ne cessay,
1716 N'oncques puis Penser ne lessay,
Qui son couvent
Ne tient, maiz le tourne souvent,

Ainsi que le cochet au vent;
1720 Donne joie et puis chier la vent.
Maiz trop plus greve
Le mal et la pensee greve
Qui viennent aprés joie breve
1724 Qui commence sans qu'elle acheve
Et vient a bout.
Au fort, qui a joie du tout,
Il ne scet quel en est le goust,
1728 Car nul bien n'est prisié sans coust;
Dont je regraite
De tant plus la tresdoulce actraitte
De joie que Dueil m'a fortraicte,
1732 Quant pour la perte ay paine traicte.
Si puis viser
Que plus ne se puet desguiser
Amours vers moy, sans l'aviser,
1736 Car tel que on le puet deviser,
S'est remoustrez
Et ses divers tours m'a moustrez,
Biens et maulx ensemble acoustrez,
1740 Non pas petiz maiz tous oultrez.
Si estendue
A sa force a moy, sa rendue,
Que joie long temps actendue
1744 M'a donnee et puis revendue
Si chierement
Qu'il me va par empirement,
Car Douleur m'assault fierement
1748 Quant Espoir faut entierement
Sans moy promectre
Retour et sans s'en entremectre.
Encor se vient entre nous mectre
1752 La mer, si que une povre lectre
Ne vient en voie,
N'il n'est nouvelle qu'il m'envoie.
Puis qu'il faut que point ne le voie,

90

1756 Au moins se lectres recevoie,
Qui presentassent
Reconfort, et se guermentassent
Des maulx que noz deux cuers entassent,
1760 Son doulz parler representassent,
Humble et humain,
Au moins congneusse je la main
Qui tant m'a escript soir et main
1764 Doulz mos de demain en demain,
Si les baisasse
Et quoy que trop ne m'en aisasse
N'en cuer du tout ne m'envoysasse,
1768 Entretant un pou m'appaisasse
En regardant
Ses lectres et bien les gardant.
Ce petit bien va retardant
1772 Fortune, et j'ay desir ardant,
Ou je remains,
Qui me fait vouloir soirs et mains
Et requerir a joinctes mains
1776 Ce dont je puis finer le mains.
Si m'en desvoy,
Car plus le desir, moins le voy,
Quoy que de cuer lui faiz convoy
1780 Et mes pensees lui envoy.
Et par cela,
Puis que son mal renouvela,
Qui de mon regart osté l'a,
1784 J'ay trop moins deça que dela:
Cuer et vouloir
Sont hors et quanqu'il puet valoir;
J'ay le corps dont ne puet chaloir,
1788 Et le mal qui me fait douloir
M'est remanant.
Le seurplus est dela manant,
Et ce que j'ay me va tennant;
1792 C'est bien douloureux remanant.

Qui n'a pitié
Du point ou mon cuer est traictié
Et que Desir tient deshaitié,
1796 Il n'ot oncques point d'amitié.
Pour ce requerre
Voulsisse aux dames d'Angleterre
Que pour loz de pitié acquerre,
1800 Pour moy de lui vueillent enquerre
Et demander
Et son estat recommander,
Car aucune puet commander
1804 A tel le puet bien amender.
Par vray, semblable
N'est que noblesce si notable
N'ait mainte pensee honnourable
1808 En dame crainte et aggrëable;
Si pevent mont
Toutes les dames en un mont,
Et leur doulceur les y cemont,
1812 Car ce qu'avenir veü m'ont
En combatant,
Se la guerre ne cesse a tant,
Leur puet venir en rabatant
1816 (On chiet bien de tout son estant),
S'il leur chëoit
Si mal que leur fait dechëoit
Et autres foiz leur meschëoit,
1820 Tant pour tant s'il nous eschëoit
A seigniourir.
Qu'a elles ne sçay recourir,
Qui mieulx me puisse secourir.
1824 Si suis entre vivre et mourir,
Triste et plourant,
Desirant la mort en mourant,
Qui longuement est demourant
1828 Quant je n'ay autre demourant
D'Amours qui mate

Me rent sans que je le debate,
Car droit n'est qu'a lui me combate
1832 Et riens n'y vault se je le flate.
Ces maulx hastiz
M'a Fortune a durer bastiz,
Et Desir tient tout a pastiz
1836 Mon vouloir qui est amatiz,
Dont il se venge.
Quant Espoir au desir se renge,
Trop plus aspre en est la meslenge
1840 Quë Espoir faut; ainsi le sens ge,
Dont puis je dire
Que mon mal est plus long et pire.
Desir me chace, Espoir me tire;
1844 L'un ne puis vaincre ou l'autre fuire.
Mise la m'a
Fortune qui de ce blasme a,
N'onq mieulx nulle ne se clama
1848 La plus triste qui onq ama. »
A tant se teut
Celle qui le cuer dolent eut,
Ainsi que bien le ramentut,
1852 Maiz alors plus parler ne peut;
Ains lui faillirent
Lengue et voix, car du cuer saillirent
Griefz souspirs qui si l'assaillirent
1856 Que cuer et corps en tressaillirent.
Si la frappoient
Ses maulx que sa bouche estouppoient,
Et les souspirs qui la rompoient,
1860 Son doulz parler entrerompoient.
Ses mains tortant,
Ça et la son chief transportant,
S'aloit si tresdesconfortant
1864 Que onq ne vy de desconfort tant
Qu'elle menoit.
Si durement se demenoit

5   Son cuer, et son corps tant penoit
1868 Que pasmee lors devenoit.
     Pallie et maigre
     Fut sa façon gente et allegre,
     Tant lui fut la pasmoison aigre.
1872 Or n'avoie odeur ne vinaigre;
     Endementier
     Regarday au long d'un sentier,
     Si cueilly un raym d'esglentier
1876 Et pres du nez lui mis entier,
     Trestout joignant.
     Et quant l'odeur l'ala poignant
     Au cuer, elle ala empoignant
1880 Le raym qui tant estoit poignant,
     Et se sourdi
     Ainsi comme un homme assourdi
     De pasmoisons, a l'estourdi.
1884 Adoncques a toutes lour di,
     Et m'en souvint,
     Ainsi qu'a la bouche me vint
     Pour le cas qui alors avint
1888 De l'esglentier, dont el revint,
     Que c'est droicture
     Qu'en amours ait joie et ardure,
     Car oncques Raison ne Nature
1892 Ne firent doulceur sans pointure
     Et tous le voient:
     « Rosiers qui des roses pourvoient
     Ont piquans, et jadis avoient,
1896 Par quoy le cueillir nous devoient
     Sans bleceüre;
     N'en cueillant n'est la main seüre
     Car la doubte nous espeüre,
1900 Soit neffle ou chastaigne meüre.
     Amours refourme
     Ses servans par semblable fourme
     De la mousche qui le miel fourme

1904 En un creux d'un chesne ou d'un ourme.
La embuschiee
Est la grant doulceur et muchiee,
Du doulz miel estroit enruchiee,
1908 Maiz a dangier est desbuschiee
Pour les destroiz
Et la force des lieux estroiz.
On y faut des foiz plus de troiz
1912 Ains que on y ait tous ses octroiz.
Et s'escueillir
Se vient aucun du miel cueillir,
La mousche le vient accueillir
1916 Si que retraire ou recueillir
Ne s'en pourra,
Car la mousche vers lui courra,
Dont l'aguillon lui demourra,
1920 De quoy garde ne se dourra.
Lors recevra
La pointe qu'il n'appercevra.
Sans le savoir, s'en decevra.
1924 A tant que douloir s'en devra.
Au partement
Feru sera appertement
De l'aguillon couvertement,
1928 Que puis verra ouvertement;
Car tant est digne
Nature que mort, medecine,
Doulz et aspre, tous d'une mine
1932 Naiscent, ou tous d'une racine.
L'un acompaigne
L'autre a la fin que plus en preigne
Aux cuers, et que mieulx les seurpreigne;
1936 L'un adoulcist, l'autre mehaigne.
Et brievement:
Plaisir est doulz, craintivement;
L'aguillon qui point vivement,
1940 C'est Desir, trait soubtivement.

Amours consent
Que cil qui de ses plaisirs sent
Et qui a lui servir s'assent,
1944 Ait biens et maulx ensemble cent.
Pour cuers actraire,
Baille du doulz puis du contraire
Par Desir, dont il scet bien traire,
1948 Pour les garder de soy retraire
De son servage,
Car Amours par son droit usage
Est la prison de Franc Courage,
1952 Ou Bon Vouloir le met en gage
Afin qu'il ne soit pas volage.
Et le sergeant
Plaisir les va la hebergeant,
1956 Maiz Loyauté se va chargeant
Qu'eslargi soit, en le plegeant.
Celle gëole
Garde Desir qui pou parole,
1960 Quoy qu'en cuer soit de chaulde cole.
Cestuy rompt le cuer et affole,
Et ne le lesse
Yssir pour don ne pour promesse,
1964 Car lÿé le tient en la lesse
De Regart qui a paine cesse
Et le pourmaine,
Jour a jour, sepmaine a sepmaine,
1968 Tant qu'il le tient soubz son dommaine.
Et puis devant Crainte le maine,
Qui a l'office
De faire en Amours la justice;
1972 Cellui maintient la grant police
D'Amours comme le plus propice.
La gehiné
Est par long ennuy l'obstiné
1976 Et devant Crainte examiné
De ce que penser n'a finé;

Si faut qu'il die
Par long ennuy sa maladie,
1980 Maiz quoy qu'a dire s'estudie,
Il n'a sur lui char si hardie
Qui ne fremisse.
Droiz est que le juge cremisse,
1984 N'en lui n'est qu'a droit dire puisse
Sans que cent foiz d'un propos ysse,
Quoy que ou registre
De Souvenir, tout enregistre.
1988 Maiz quant l'œil la joie administre,
En entrant, elle empesche d'istre
Ce qui sejourne
En la triste pensee mourne;
1992 Passer ne puet, car tout a ourne
Prins sont les pas, si s'en retourne
Vers le courage
Ou demeure, enmy le voiage,
1996 Sans point acomplir son message,
Dont par aprés de dueil errage.
Ainsi seron
Tant que par amours ameron,
2000 Car de Desir n'eschapperon.
Cil est l'amoureux esperon
Qui l'amant chace
Batant vers grace qu'il pourchace,
2004 Et lui fait avancer sa chace,
Dont plus va avant, moins se lasse.
Ainsi m'en est
Car je n'ay cessé në arrest
2008 De pourchacer ce qui me plest,
Que d'avoir je suy tresmal prest
Et pou scïent
Pour souffrir inconvenïent.
2012 Maiz qui aime a droit escïent,
Cuer lui faut fort et pacïent;
A ce tendez. »

Lors dist la tierce: « Or m'entendez,
2016 Pour les plus tristes vous rendez
Et voz partis bien deffendez.
Je ne me plaing
De ce, ne ne l'ay en desdaing;
2020 Chascun blecié plaint son mehaing
Et congnoist son fait et son saing.
Maiz d'autry faiz
Ne scet nul le pois ne le faiz
2024 Ne n'a jugemens si parfaiz
Comme cellui qui les a faiz.
Trop bien pouez
Parler, ou plaigniez ou louez,
2028 Du mal que pour vostre advouez;
Maiz a autry ne vous jouez.
Vous recevez
Voz maulx: les miens n'appercevez,
2032 Dont comparer ne les devez,
Et en le faisant me grevez.
Maiz puis que sommes
A comparer les dures sommes
2036 Dont nous perdons repoz et sommes
Pour quatre amans et pour quatre hommes,
Je ne refuse
Point; et n'est droit que je m'excuse
2040 De dire la douleur qui use
Mon cuer que Vain Espoir abuse
Et ou repaire
De desplaisirs plus de cent paire,
2044 Sans que un tout seul bien y appaire.
Puis que mal a mal se compaire,
Des maintenant
J'ose bien dire, en maintenant
2048 Ma part et raison soustenant,
Que le mal qui me va tenant
Et qui n'est que un,
Est aux vostres deux seul commun,

²⁰⁵² Pire qu'eulx deux et que chascun;
J'ay les voz tous, non pas aucun.
Ainsi me vante,
Se vantance est d'estre meschante,
²⁰⁵⁶ Que ma tristece est plus pesante
Et suis plus douloureuse amante
Trop, que nesune
De vous. Son ami mort plaint l'une;
²⁰⁶⁰ L'autre la prise et la fortune
Du sien que Adversité fortune,
Et sans deserte.
La premiere ploure la perte
²⁰⁶⁴ D'Espoir, comme a tousjours deserte.
L'autre dit: " Desir m'a deserte
Et recreüe,
Sans Desperance mescreüe;
²⁰⁶⁸ Plus l'ay par mon desir creüe,
Plus m'est doubte et douleur creüe ".
A grans loisirs
L'une plaint les passez plaisirs.
²⁰⁷² Lautre n'a rien fors desplaisirs,
Et lui croissent aprés desirs
Par mains assaulx.
Quoy que l'une a de griefz travaulx,
²⁰⁷⁶ Elle a eu a coup tous ses maulx;
L'autre les a tousjours nouveaulx.
Maiz la premiere
Dit qu'elle a de dueil plus matiere,
²⁰⁸⁰ Car el pert esperance entiere
Et elle n'est point si legiere
Qu'elle peüst
Autre amer, quel bien qu'en soy eust,
²⁰⁸⁴ Car onc ne fut que rien sceust
De change ne qu'il lui pleüst.
Quoy que songeur
Soit son cuer, d'Ennuy hebergeur,
²⁰⁸⁸ Et de son soulcy le forgeur,

Au moins n'est il mie changeur.
Or n'est possible
Qu'elle face autre, ou plus sensible:
2092 Prendre autre cuer est impossible;
Faire contre cuer n'est loisible.
Amer la faut,
Quoy que sa partie lui faut
2096 Et n'a ami, ne qui le vault,
Car de nul autre ne lui chault.
L'autre debat
Qu'elle est plus triste et hors d'estat
2100 Car Doubte et Päour la combat,
Et Desir en elle s'embat.
Espoir nuysant
Lui est dessus tout et cuisant;
2104 C'est l'affilouere reluisant
Ou Desir se va aguisant.
Espoir par haste
Aguise Desir et le haste,
2108 Qui le point asprement et taste.
Et Desir Espoir use et gaste
Au long aler
Sans y lessier que regaler,
2112 Tant qu'il le fait tout tresaler;
C'est dur morsel a avaler.
Quel tour est mise
En pire point et plus seurprise:
2116 Ou celle qui est pieça prise;
Ou l'autre, en tous costez assise
Et que on assault,
Dont au secours nully ne sault,
2120 Et n'a ne souldart ne vassault
Qui a reschapper sache sault?
Gemissemens
Y sont, cris, pleurs, hericemens
2124 Et crüelz amortissemens
De cuer; pensez se de ce mens.

L'autre tour toutes
A passé ces estranges doubtes,
2128 Quoy que ses portes soient rouptes;
Plus ne lui faut guet në escoutes.
"Ainsi par m'ame,"
Dist la seconde, "Est il de dame
2132 Dont l'amant gist mort soubz la lame.
Dieu lui face pardon a l'ame!"
Quoy que amassee
A grant douleur et entassee
2136 Pour s'amour pieça trespassee,
La presse en est tantost passee.
Ma destinee
Est autre, et moins determinee.
2140 Je suy comme la tour minee,
Dont la prise n'est pas finee
De longue piece,
Et de qui on doubte qu'el chiece
2144 Ou qu'a ceulx de dedens meschiece;
Je craing que tout ne se despiece.
Maiz tant plus durs,
Ennuyeux, tresaigres et surs
2148 Me sont mes maulx longs et obscurs,
Car mon mal vient par divers hurs,
Non pas confit
En un; et par Dieu qui nous fit,
2152 J'en ay cent, dont chascun suffit
A rendre un fort cuer desconfit.
En devisant
S'en vont ces deux, contredisant
2156 Et a leurs desplaisirs visant;
Chascune se tient voir disant.
Maiz quant cerchié
Aront leurs droiz et reverchié,
2160 Mon cuer de dueil est mieulx merchié,
Navré plus oultre et tresperchié.
Et sans debatre,

Pour leurs raisons toutes abatre,
2164 En mon cuer se viennent embatre
Plaies, dont j'ay contre une quatre.
Las! congnoissance
N'ay se m'amour et ma fïance
2168 Est mort, prins ou mis a finance.
Entre espoir et desesperance
Ainsi chancelle,
Plaine de doubtes, comme celle
2172 Qui a douleur et ne scet quele.
Je ne sçay quel nom je m'appelle:
Ou d'amours veufve,
Ou prisonniere. Et si ne treuve
2176 De ce que j'aym tesmoing ne preuve
Ou vive ou non; c'est douleur neuve.
Tant me doubtoie,
Mes douleurs en moy racontoie,
2180 Quant la bataille redoubtoie:
Or suy moins seure que n'estoie
Et moins certaine!
Se j'ay esperance, elle est vaine
2184 Et ne puis perdre espoir sans paine,
Ne je ne sçay quel dueil je maine.
Bien souvent songe
Sa mort que mon cuer de dueil ronge,
2188 Puis faiz de la prison mon songe,
Et ne sçay lequel est mensonge.
Ce qui l'empesche
Est mort ou prison trop griesche;
2192 Ce sçay je bien, l'un des deux est che.
Maiz grief m'est que ne me despesche,
Sans plus remaindre
Pressee de maulx pour estaindre,
2196 De tost la verité actaindre
De ce dont plus je me doy plaindre
Et largement,
Car avoir certain jugement

2200 De son mal est l'abbregement
Des douleurs et l'alegement.
Nul ne saroit
Conforter, quoy qu'il lui plairoit,
2204 Cil qui ne saroit qu'il aroit
S'a lui plus ne se declaroit
Que Dueil fendant
Va le cuer qui est actendant
2208 Son mal et tresbien entendant
Qu'aler ne puet en amendant.
Quant bien marchié
Avray et d'enquerre encerchié
2212 Ou l'en s'en sera descarchié,
Je n'en puis avoir bon marchié;
Maiz forte amour
Qui ne veult qu'en ce point demour
2216 Me fait enquerre sans demour
Ce que j'ay de savoir cremour.
Pour esprouver
Les cuers ou n'a que reprouver,
2220 Amours fait querir et rouver
Ce qu'on ne vouldroit pas trouver.
En ceste doubte
S'arreste ma pensee toute.
2224 Sa mort plaing; la prison redoubte.
Se l'un fuy, l'autre me deboute.
Si enserré
Est, et de deux dars enferré,
2228 Mon cuer entre deux maulx serré
Que mieulx lui fust d'estre enterré;
Dont je maintien
Que suis la plus triste et m'y tien.
2232 Et s'on dit, " Quel mal est le tien? "
Les deux d'elles, je les soustien.
L'adversité
Court si que par necessité
2236 J'ay l'un des maulx en verité,

L'autre en doubte et craintiveté.
Je souspeçonne
Les deux; nulle part ne m'est bonne.
2240 Souspeçon tousjours me foisonne;
C'est dangier pour toute personne.
Ainsi debatent
Deux maulx qui en moy se combatent
2244 Et pour mon cuer gaignier s'embatent,
A celle fin qu'ilz s'entrematent
Comme haussaires,
Pillars de joie et adversaires,
2248 Et de ma mort les commissaires.
Maiz tous deux ne sont point faulsaires:
Si rescourray
A l'un mon cuer quant je pourray;
2252 Neantmoins a l'autre demourray,
Et triste vivray et mourray
Tresloing en l'ombre
D'Espoir dont j'ay en petit nombre.
2256 Maiz cuer qu'Ardant Desir encombre
Temps, jours, et nuiz, et heures nombre;
Tant me sont lees
Les nuis d'ennuy entremeslees,
2260 Puis qu'en baisant furent seellees
Noz voix et noz lermes meslees,
Quant print congié
Cellui qu'ay tant depuis songié,
2264 Que j'aym par Dieu autant com gé;
Or est mort, ou trop eslongié.
Las! qui cuidast
Qu'alors tel congié demandast
2268 Et qu'a moy se recommandast,
Sans que jamaiz m'en amendast,
En descroissant
Les joies? Cuer n'est congnoissant
2272 Jamaiz qu'Amours soit si puissant
Comme quant maulx le vont froissant.

104

Or recongnoiz
Amours; plus ne le descongnoiz,
2276 Car en mon cuer fait ses tournoiz
Et m'apprent que ce sont qu'ennoiz.
Des lors senti
Ses cours que je me consenti
2280 A son service et assenti,
Maiz oncques foy ne lui menti.
Qui tient en fieu
De tel seignieur, ce n'est pas gieu.
2284 Je n'en tien qu'un cuer; et par Dieu
Aussi n'est il mis qu'en un lieu,
Ne ne mectray.
Ja plus ne m'en entremectray
2288 Maiz a Amours m'en soubmectray;
J'ay promis, plus ne promectray.
Si suis lÿee
Des giez d'Amours et allïee,
2292 Et ne me tien point oublïee
Se Mort ne s'y est emploiee.
Amours ravit
Les cuers, et pas ne s'assouvit.
2296 C'est un oisel qui de cuer vit;
Oncques nul tel oisel ne vit.
Maiz plus honneste
Est il de tant comme il acqueste
2300 Pour sa proie et pour sa conqueste
Le plus noble desus la beste,
Quel part qu'il gise.
Amours est de pareille guise
2304 A cil que on loge par franchise,
Qui puis veult avoir la maistrise
Du logeis et de la pourprise,
Quant est logiez;
2308 Et tient son hoste plus subgiez
Tandiz que la est hebergiez,
Que s'il fust en fers ou en giez,
Son deul faisant.

2312 Car amours est paine plaisant
     Et un grant aise meffaisant;
     C'est une guerre en appaisant,
     Targe pour traire
2316 Encontre, et retrait pour actraire.
     Amours efface pour pourtraire.
     C'est un mal qui quiert son contraire:
     Doulce rigueur,
2320 Courtois dangier, saine langueur,
     Mortel plaisir, foible vigueur.
     C'est une largesce de cuer,
     Crainte hardie,
2324 Tresarrestee quouärdie,
     Et seurté a craindre enhardie,
     Embusche qui le cuer hardie
     Et qui descœuvre
2328 Le cuer et fiert, et puis recœuvre
     Et le clot, et par aprés l'œuvre;
     Amours est droit maistre de l'œuvre.
     Et qui pensee
2332 A sa vertu pou appensee,
     C'est maladie de pensee,
     Ou toute joie est despensee
     En desirant;
2336 C'est le mal qui, plus va tirant
     A santé, plus est empirant.
     On le congnoist en souspirant,
     Non pas au poulx,
2340 Si que on fait les autres maulx tous.
     Joie et deul en sont les deux bous,
     Maiz dueil est le bout de dessoubz,
     Car amours finent
2344 En deul lors que leurs cours terminent:
     Autres maladies declinent
     En joie quant elles definent.
     S'Amours allume
2348 Un cuer en son grant feu qui fume,

106

Tel le forge ou de tel volume
Qu'il veult, com fevre sus enclume,
Qui par feu mue
2352 Un glaive en un soq de charue
Et sa nature lui remue;
Le soq nourrit, le glaive tue.
Et ainsi moule
2356 Amours les cuers selon son moule:
Il les change, remue et croule,
Puis qu'il les a mis en son roule.
Maiz plus donnez
2360 S'est es cuers qui sont ordonnez
D'estre bien condicïonnez
Et aux haulx faiz abandonnez,
Ou hardement
2364 Est ou trescler entendement,
Et on en prent amendement;
Qui le contraire cuide, ment.
Amours manoir
2368 Desire en tresnoble manoir,
Soit soubz vert habit ou soubz noir;
Ailleurs ne saroit remanoir.
Tant enhardiz
2372 S'est qu'il avance les tardiz,
Enhardit les aquouärdiz
Et les vaillans fait plus hardiz,
Quant ilz sont tieulx
2376 Qu'ilz veulent choisir en bons lieux
Et mectent paine a valoir mieulx
Pour plaire a la belle aux beaulx yeulx.
Sans varïer,
2380 Entendent a droit charïer
Et deshonneur contrarïer
Pour soy a elle apparïer
Et de maniere,
2384 Car la coustume d'amours yere,
Qui ameroit une bergiere

Vouldroit porter la pennetiere
Et danceroit
2388 Au flajol. Tout beau lui seroit:
Ce qu'elle vouldroit, ameroit;
Ce qu'elle fuyroit, lesseroit.
Amours est lierres
2392 De cuers, ou au moins un changierres,
Aux bons bon, aux bouleurs boulierres.
C'est le cep d'or a riches pierres;
Qui s'y appuye,
2396 Prins est sans querir qu'il s'en fuye.
C'est un beau soleil et puis pluye;
Une foiz plaist et l'autre ennuye.
Amours compasse
2400 Ses faiz comme la dance basse:
Puis va avant et puis rappasse,
Puis retourne, puis oultrepasse.
La engagiee,
2404 Et de ses biens du tout gagiee,
Est la volenté erragiee
Qui a dueil et joie en dragiee;
Si se declaire
2408 Si que autry le sent, voit ou flaire,
Et prent a la flamme exemplaire,
Qui de soy se moustre et esclaire
Non deffumee,
2412 Car une fournaise allumee,
D'ardeur seurprise et enfumee,
Giecte tousjours flamme ou fumee.
L'amant se trompe,
2416 Qui voit sa dame en feste ou pompe,
Car ou il faut que le cuer rompe
Ou que le semblant se corrompe.
Amours requierent
2420 Tout le cuer en quoy ilz se fierent;
Tous semblans, tous pensers qui yerent
En amant, en un se refierent,

Pareil voiens,
2424 Car ruisseaulx petiz et moiens
Vont en mer par divers moiens,
En descendant trestous loiens
Aprés leurs tours:
2428 Ainsi font en un leurs retours
Pensers d'amant; bien ont trestours,
Puis leurs tresmerveilleux estours.
Un cuer tremblant,
2432 Ou douleurs se vont assemblant,
Au maintien, aux faiz, au semblant
En depart ou lui vont emblant.
Ainsi qu'en fuicte
2436 Quant Desir gouverne la luicte,
Se par lui la chose est conduicte,
Selon seignieur mesnie duicte:
Ainsi poursuivent
2440 Amans leur vouloir et desuivent,
Desir plus que Raison ensuivent;
Et mesmes leurs semblans les suivent,
En couvoiant
2444 Par un droit chemin forvoiant,
Sans estre a Dangier pourvoiant.
Desir n'est que devant voiant:
Derrier n'a dextre.
2448 Ainsi ne scet amant son estre,
Car qui n'est pas de son cuer mestre,
Du maintien ne le pourroit estre.
Or est encloz
2452 Mon cuer en l'amoureux encloz,
De hayes, d'espines tout cloz,
Par quoy le partir m'est forcloz.
C'est pour la pointe
2456 De Desir dont je suy si pointe,
Et s'a la demourer m'appointe,
De nul confort ne suis acointe.
Le departir
2460 M'est fort; dur est m'en departir.

Mon cuer n'a qui puisse partir
A ses maulx, si est seul martir.
Dont suis tiree
2464 De deux douleurs et martiree,
Quant la joie qu'ay desiree
Le plus, m'est du tout empiree
Par doubte, voire
2468 Si fort que je ne sçay que croirre:
Ou se je doubte, ou se j'espoire.
Mort ou vif, je l'ay en memoire;
Entretenu
2472 Il a tout. Ce m'est advenu:
Je n'ay fors les maulx retenu;
Ne sçay que tout est devenu.
J'ay devisees
2476 Les durtez d'Amours desguisees;
Maiz qui bien les a avisees,
Aspres les ay et atisees.
Ainsi ouÿe
2480 M'avez, de desplaisir fouÿe.
Suy ge doncques moins esjouÿe
Dessus toutes? Dictes " Ouÿe ". »
Un pou fuz lent
2484 De respondre au fait vïolent,
Maiz j'eu de dire grant talent
Que je ne suy pas seul dolent.
En ce descort
2488 Furent, d'autres choses d'accort
Et que je leurs raisons recort.
Ne suy mie de tout recort:
Ensemble dirent
2492 Les droiz qui pour leurs partiz firent,
Et tant de raisons avant mirent
Que je ne sçay ou tant en prirent
Pour tel explet,
2496 Fors qu'Amours avoit si replet
Leurs cuers de son art tout complet

110

Que la bouche en tient si long plet
Et s'en gùermente,
2500 Car selon que cuer se demente,
La bouche d'amant parlemente
De ce qu'il faut que le cuer sente;
Quant Amours forge
2504 Ses dars ou cuer comme en sa forge,
L'ardant fumee qui regorge
S'espart par la bouche et desgorge.
Lors a songier
2508 Prins a leur fait, car c'est dangier,
Faucte de sens, vouloir legier,
De tart entendre et tost jugier;
Et bien est lasche
2512 Le juge qui trop tost se lasche
Et avalle sans ce qu'il masche,
En jugeant des choses en tasche
Sans faire pause
2516 Et entendre chascune clause
Que on veult dire, et comme on se cause
Des droiz des partis, et la cause.
Pour ce en doubtant,
2520 Leurs raisons ensemble adjouxtant,
Me taisoie en les escoutant
Comme elles aloient comptant;
Et n'entendoye
2524 Qu'a penser que dire j'en doie.
Rien plus en ouÿr n'actendoie,
Maiz le penser ou je tendoie
Cessa, car la
2528 Quarte de ces dames parla
Et rompit mon propos par la.
L'estrif qui tant se pourparla
Recommença,
2532 Car la quarte depuis en ça
Nouvelles plainctes commença.
Par doulz moz aux autres tença,

Et lermëoit
2536 Si fort que ses beaulx yeulx nëoit
Tant en plours qu'a paine vëoit;
Maiz en courçant se hontëoit.
Ce qui la trouble
2540 Est Honte qui son mal redouble;
Et pour ce est son desplaisir double
Qu'au dire la honte le double,
En leur disant:
2544 « Mes dames, qu'alez vous disant?
Je suis a vous contredisant,
Non pas pour estre desprisant
Ou courouchier
2548 Voz cuers que je n'ay pas pou chier;
Maiz de ce qui me puet touchier
Et que je m'oy cy reprouchier,
Me faut respondre.
2552 Force de dueil me vient cemondre
De mon cas treshonteux expondre,
Qui me fait toute en lermes fondre;
Et tien moins compte
2556 Du desplaisir que de la honte.
J'oy l'une de vous qui raconte
Que par moy sa douleur seurmonte
Ou par celluy
2560 Que j'ay cuidié meillieur que luy
Et l'ay amé plus que nulluy.
Vous ne parlastes de tel huy.
Or a fuÿ
2564 Laschement et s'est enfuÿ,
Dont il a honneur defuÿ.
Et dit on: " Pourquoy y fu y,
Et ses semblables,
2568 Quant leurs laschetez dommageables
Et leurs fuites deshonnourables
Ont fait mourir tant de notables,
Pres qu'a milliers,

²⁵⁷² Et fait perdre les chevaliers
Qui de France estoient piliers,
Menez comme beufx en coliers
En vïolentes
²⁵⁷⁶ Prisons ou n'a que poulz et lentes? '
Ainsi leurs quouärdies lentes
Ont fait tant de dames dolentes
Et esplourees;
²⁵⁸⁰ Tant en ont de lermes plourees
Maintes grans dames honnourees
Qui en sont seules demourees,
Comme vous dictes.
²⁵⁸⁴ Ainsi vous ensemble maudictes
Les fuitifz pour leurs demerites,
Dont ilz ne seront jamaiz quictes,
Quant courouchié
²⁵⁸⁸ Ont les bons comme on a touchié,
Dont j'ay le cuer bien courouchié
Qu'il me puist estre reprouchié
D'avoir amé
²⁵⁹² Un lasche fuitif diffamé
Et de tel deshonneur blasmé,
Qui tant a son bien entamé
Comme de fuire
²⁵⁹⁶ En tel place et aux autres nuire,
Faire son bacinet reluire
Et vestir harnoiz pour defuire!
Haa! Quel journee!
²⁶⁰⁰ Fole, et de sens mal äournee,
Suy je oncques a l'amer tournee?
Ne pourquoy fuz je ce jour nee
En tel erreur?
²⁶⁰⁴ Les yeulx qui m'ont fait la tristeur
En portent la paine et le pleur.
Las! Comme eu je si lasche cuer
Qui m'y fist traire?
²⁶⁰⁸ Je cuidasse que, pour retraire

Ou pour fuÿr ou pour actraire,
Un cuer son bien ou son contraire
Sentist ainchois
2612 Qu'il feist son eslite ou son chois;
Maiz tout le rebours apperchois
Quant par moy mesmes me dechois.
Amours eslire
2616 M'a fait ce qui m'estoit le pire:
Cellui qui d'avoir bien empire
Et pour guerredon me martire.
Si lui rendray,
2620 Quoy que vers lui le cuer tendre ay;
Par semblant compte n'en tendray.
Las! A qui doncques m'en prendray
Fors qu'a moy seule,
2624 Quant mon cuer fist dire a ma gueule
Ce dont il faut que je me deule,
Portant plus grief fez que une meule?
C'est la droicture,
2628 Car j'ay quiz ma male aventure;
Si n'en blasme Fortune obscure,
La mort ne la bataille dure.
Et n'en ay haine
2632 Fors au cuer qui seulement maine
Ma pensee decevant, vaine,
Querir plaisir et trouver paine.
J'ay eu fïance
2636 En Faulx Semblant par l'allïance
Faintise qui sans deffïance
Fiert, et puis met en oublïance
Comme devant.
2640 Haa! Faulx Lengage decevant!
Or suy ge bien appercevant
Que ta doulceur est plus grevant
Que beauté de soleil levant
2644 Que vent couvoie.
Ta traÿson point ne savoie

Ne que tu te meisses en voie,
Si non quant le cuer t'y couvoie
2648 A longs espaces.
Qui cuidast que jamaiz osasses
Passer par la bouche ou tu passes
Sans que saulfconduit apportasses
2652 Au cuer escript?
Parler d'amant, par Jesus Crist,
C'est la copie sans escript
De ce qui est ou cuer descript
2656 Par passïon,
Dont a grant visitacïon
Verité fait collacïon
Et la bouche relacïon
2660 En la presence
De celle qui a pouoir en ce;
Si ne doit avoir difference
De ce qu'il dit a ce qu'il pense.
2664 Maiz de present
Mains font de lengage present,
En disant, " Mon cuer vous present ",
Sans que le cuer s'y represent.
2668 Ainsi enchantent
Qui les croit; sans lëesce chantent,
Et s'ilz n'ont dames, ilz s'en vantent;
S'ilz les ont, sans cause les plantent,
2672 Ou par contreuve
Les blasment, sans y savoir preuve.
Et tel y a, ou qu'il se treuve,
Qui chascun jour fait dame neuve;
2676 Ainsi le sçay ge.
Mentir, jurer au fuer l'emplaige
Scevent, et l'un pour l'autre est pleige.
Maiz teles amours sont de neige
2680 Tost eslacie,
Ou de glace d'une nuitie,
Qui rompt a coup par la moitie;
S'y appuyer n'est que sotie.

²⁶⁸⁴ Et vraiement
Leur hantise et leur voiement,
Quoy qu'ilz se habillent gaiement,
Tout est bourdes en paiement.
²⁶⁸⁸ Et se delictent
Quant les plus grans secrez recitent
Des lieux ou ilz vont et habitent.
A l'envy leurs gorges acquictent;
²⁶⁹² Ja säoulees
Ne sont tant qu'ilz ont defoulees
Les dames par maises goulees
Qui sont trop de legier coulees.
²⁶⁹⁶ Tant s'esvertuent
Que d'onneur ilz les destituent;
Si sont pareulx a ceulx qui tuent,
Car jamaiz ilz ne restituent
²⁷⁰⁰ L'onneur qu'ilz tollent
Par leurs mos qui des bouches volent,
Quant ainsi ensemble parolent
De leurs faiz et s'entrerigolent.
²⁷⁰⁴ Dieu me deffende
Que des bons ce parler entende!
Maiz les mauvaiz, Dieu les amende,
Ou se non leur louyer leur rende!
²⁷⁰⁸ Car ilz desirent
Que autres qui a ce mesmes tirent
Disent devant eulx qu'ilz les virent,
Ou ilz alerent et qu'ilz firent;
²⁷¹² Alors se baignent
D'aise, leur disant qu'ilz mespreignent,
Puis eulx mesmes tant en enseignent
De loing qu'il faut que tous l'appreignent.
²⁷¹⁶ Tel est leur stile
Qu'ilz nomment la rue et la ville
Ou qu'ilz disent des signes mille,
Par quoy qui que soit y a qui le
²⁷²⁰ Fait tout entent,

116

Dont le diseur est bien content;
Car combien qu'il faint ou actent,
Si est ce la fin ou il tent.
2724 Haÿ, haÿ,
Bien a renommee enhaÿ
Qui son vent pour estre traÿ
Met es mains de telz y a y!
2728 Maiz quel vaillance
Ara homme en guerre a oultrance,
S'il ne puet avoir la constance
De tenir sa lengue en souffrance?
2732 Mal se tendroit
De fuire au peril qui vendroit,
Quant du bien qui lui advendroit
Sa lengue point ne retendroit
2736 Qu'il n'en parlast
Et que du beq ne lui volast,
Quoy que droit fust qu'il le celast
Ou que traÿtre on l'appellast.
2740 Or avison
Doncques comme une traÿson
Actrait l'autre, ainsi le dison.
Se les fuitifz bien eslison,
2744 Tantost prouvez
Seront leurs faiz mal approuvez,
Et seront ceulx fuitifz trouvez
Qui sont faulx amans esprouvez,
2748 Dont les derrois,
Les pou arrestez desarrois,
Cuer mat soubz orgueilleux arrois,
Ont deceu et dames et roys.
2752 Et leurs pechiez,
Dont ilz sont si fort entechiez
Et aux delices allechiez,
Les ont a bien faire empeschiez,
2756 Car les delices,
Les grans oultrages et les vices,

Ou ilz sont nourriz comme nices,
Les destourbent des haulx services
2760 Qui enhardissent.
Aux aises trop s'affetardissent,
Dont les cuers s'en aquouärdissent
Et les meurs en appaillardissent.
2764 Plus ne s'excercent
A voiagier ne ne conversent
Entre les bons, maiz se renversent
Par oiseuse, dont leurs faiz versent.
2768 Si di encoire
Que leur fuite laide et notoire
Aux ennemis donne victoire
Plus que la vaillance et la gloire
2772 De leurs meilleurs.
Les bons ancïens batailleurs,
Furent ilz mignoz, sommeilleurs,
Diffameurs, desloyaulx, pilleurs?
2776 Certes, nonny,
Ilz estoient bons tout onny;
Maiz pour ce est le monde honny –
Et sera encore – que on n'y
2780 A secouru,
Car Honneur a bien pou couru
Et n'y a l'en point recouru,
Puis que le bon Bertran mouru.
2784 On a guenchié
Aux coupx, et de costé penchié.
Proufit a Honneur devanchié;
On n'a point les bons avanchié.
2788 Maiz Mignotise,
Flaterie, Oultrage, Faintise,
Villain Cuer paré de cointise
Ont regné avec Couvoitise
2792 Qui a tiré,
Dont tout a esté desciré
Et le bien publique empiré.

118

Nully ne s'est aux faiz miré
2796 Des ancïens
Qui furent sages et scïens,
Fors, courageux et pacïens,
Pourveux aux inconvenïens.
2800 Chascun se pare
Et veult aler a la tantare;
Si semblent buhoreaulx en mare,
Qui actendent que on leur dit " Gare "
2804 Et que on les preigne
Sans aviser que on entrepreigne
A les grever, et que on appreigne
Les tours par quoy on les souppreigne,
2808 Lÿant leurs eles.
Plusieurs dancent les sautereles,
Et pour gaaignier grosses mereles
Deffendent les faulses quereles,
2812 Et s'abandonnent
A servir ceulx qui plus leur donnent
Et qui a mal faire s'ordonnent;
Et puis les princes leur pardonnent
2816 Et mieulx venuz
Sont que ceulx qui se sont tenuz
Loyaulx, et tousjours maintenuz
Les droiz qu'ilz ont bien soustenuz.
2820 Ainsi regente
Fortune sans chemin ne sente:
Puis d'un costé, puis d'autre vente;
Si a en telz faiz pou d'actente.
2824 Haa! Fleur de Lis
Ou Dieu mist pieça ses delis,
Ainsi comme en escript le lis,
Ton nom n'est pas ensevelis
2828 Ne n'es deffaicte
Par Deshonneur ou contrefaicte,
Car ceulx de ta maison te ont faicte
Honneur par vaillance parfaicte,

2832 Dont ja en cendres
    Sont les uns. Ceulx que tu engendres,
    Les haulx princes piteux et tendres,
    S'y sont mieulx portez que les mendres,
2836 Car enferrez,
    Navrez, batuz et aterrez,
    Et des mors couvers et serrez,
    Furent tous, prins ou enterrez.
2840 Chascun happa
    Sa hache et oultre se frappa,
    Maiz Fortune les atrappa:
    Des royaulx nul n'en eschappa,
2844 Car sans tourner
    Le doz afin de retourner,
    Voulurent la tous sejourner
    Pour leurs hers d'onneur äourner;
2848 Si rencontrerent
    Si mal que leur vie y oultrerent.
    Haa, fuitifz! Ilz se demoustrerent
    Si bons que vo honte moustrerent!
2852 Or rougissiez
    De honte et de jour hors n'yssiez,
    Car certes se rien vaulsissiez,
    Si bons princes ne lessissiez,
2856 Qui deffendirent
    Le champ et bien chier se vendirent;
    Maiz les failliz quouärs fendirent
    Les rengs quant a fuite tendirent
2860 Au desplachier,
    Sans oncques espee y sachier.
    Si n'y avoit il qui cachier
    Les peust a la pointe d'achier,
2864 Maiz ilz casserent
    L'ordonnance et oultrepasserent;
    Leur honneur derrier eulx lesserent
    Et leurs lignages abesserent.
2868 Que leur feïssent,

120

Ou quele injure leur deïssent
Leurs ancesseurs s'ilz les veïssent
Ainsi fuÿr? Bien les haÿssent
2872 De mors ameres
Leurs notables aïeulx et peres,
Dont les vaillances sont si cleres;
Et ceulx cy sont droictes commeres.
2876 Nous ne croions
Jusques a ce que nous voions,
Maiz je doubt que bon eur n'aions
Tant que plains de pechié soions.
2880 Raison rompue
Est si par vie corrompue
Que qui a robe derompue,
Se on est bon, si pert il que on pue
2884 Entre les gens,
Soient conseilliers ou regens,
Dont chascun est moins diligens
D'acquerir vertuz que habis gens.
2888 Ainsi despent
Uns homs trop plus qu'a lui n'appent
En robe et ce qui en deppent;
Si s'endebte et puis s'en repent.
2892 C'est la semille:
S'il a dame riche, il la pille
Et faut qu'el le veste et habille;
Cil s'en moque et elle s'exille.
2896 J'en sçay de tieulx
Qui ont dames en mains hostieulx,
Dont ilz tirent les grans chatieulx
Et leur sont ennemis mortieulx,
2900 En n'en tenant
Loyauté ne le remenant.
C'est des amans de maintenant,
Trop plus gengleurs qu'entreprenant.
2904 Parmy la rue
Chevauchent la voie pierrue,

Chascun a chascune l'œil rue;
Si font ensemble une charue
2908 Mal atelee
Et vont la teste escervelee.
Chascune est meschante appellee;
Ja n'y ara chose celee.
2912 S'ilz cheminoient
Par cent rues, toutes guignoient;
Et celles qui pas ne les haient
Ne croient mie qu'elles n'aient
2916 Leur cuer entier,
Dont toutes n'ont pas un quartier.
Helaz, l'onnourable mestier
D'armes n'a de telz gens mestier,
2920 Car tout tauxé
Oncques puis ne fut exaulcé
En France, suyvy ne haucé.
Que tant ont en amours faulsé
2924 Les deffaillans,
Car se hystoires ne sont faillans,
Vraie amour fait les cuers vaillans,
Entrepreneurs et assaillans
2928 Semblablement!
Ilz vivent veritablement
Et a tous aggrëablement,
S'ilz aiment honnourablement.
2932 Assez acquiert
Qui en a ce que honneur requiert;
Maiz de trop fier baston la fiert,
Qui de deshonneur la seurquiert
2936 En la servant.
C'est un service en desservant,
Et me semble que un tel servant
Est de tout perdre deservant
2940 Quant envaÿr
Veult l'onneur sa dame et traÿr.
Trop moins semble amer que haÿr;
Ce n'est pas amour maiz aÿr.

2944 Las on en use
Present ainsi que d'une ruse.
Pou voy qui s'y boute ou amuse
Fors s'il n'a que faire ou s'il muse.

2948 Comme qu'il voise,
Ilz veulent amer a leur aise
Et que on face ce qui leur plaise;
Et qui veult en ait la mesaise.

2952 Maiz s'ilz entendent
Bien qu'est amours quant ilz y tendent,
Les plaisans ennuis qu'amours rendent
Les cuers afferment et amendent.

2956 Cil qui y ferme
Son cuer, il le trempe et afferme,
Et a mieulx souffrir le conferme,
Dont il est en tous cas plus ferme

2960 Et asseuré,
Rassiz de meurs et meüré,
Ne trop baut ne trop espeuré,
Et en bataille bien euré;

2964 Et qui pener
Se scet a amours demener,
Trop mieulx en sara assener
A ses besoignes bien mener.

2968 Qui bien pourcache
D'amer, celer lui faut sa cache,
Parler et maintien faut qu'il sache;
Si ne puet qu'il ne se parfache,

2972 Dont bien amez
Doivent estre et tresrenommez,
D'onneur les vrais commans nommez,
Qu'en present sont si cler semez.

2976 Or ay cuidé
Qu'Amours eust bien mon cuer guidé
En un bon non oultrecuidé;
Et il est d'onneur tout widé.

2980 Point n'affermast

Mon cuer que tousjours ne l'amast?
Or est il, qui bien le nommast,
Le plus faulx qu'oncques Dieu fourmast.
2984 Souspirs gectoit
Au partir, et sa main mectoit
En la mienne, et me promectoit
Que de son cuer se desmectoit
2988 Et tant feroit
Pour moy que nouvelle en seroit
En bien, plus que on ne penseroit,
Ou jamaiz il ne cesseroit.
2992 Et me disoit
Qu'a autre chose ne visoit
Qu'a moy plaire, et tant me prisoit
Qu'a son cuer garder m'eslisoit.
2996 Lors m'acola,
Maiz le mal gueres n'affola
Son cuer qui bien loing s'en vola.
Ainsi de moy se rigola,
3000 Qui effraiee
Fuz pour lui, triste et esmaiee,
Plaine de päour, desvoiee;
Et së il m'eust veü noiee,
3004 Ne l'eust chalu.
Or fuÿt quant ferir falu;
L'amour de moy riens n'y valu
Et son honneur fut nonchalu.
3008 Tout sain sans plaie
S'en revint, dont il faut que j'aie
Contrecuer et que plus je haie
Cellui que sur tous plus amoie.
3012 Et depuis l'ay ge
Veu souvent, dont mon mal aggreige,
Car l'esloignier le cuer soulleige
Et le veÿr est une engreige.
3016 Ainsi di fy
De mon cuer et plus ne m'y fy,

Et de guerre a mort le deffy,
Quant par lui tel folie fy
3020 Que je l'amay
Le premier, ot deux ans en may;
De lors a amer entamay,
Car onq autre ami ne clamay.
3024 Or est escheu
Qu'il m'est au commencer mescheu,
Dont Amours qui si m'a decheu
Plus ne tendra mon cuer rencheu
3028 Pour l'empirer
Et le faire ainsi souspirer,
Se jamaiz l'en puis retirer.
Si me puis en mon fait mirer:
3032 Bien doit savoir
Qu'il fait, qui pour amie avoir
Fait de son cuer autry avoir;
Le fort est quant vient au ravoir
3036 Un cuer loié.
Pourquoy l'ay ge dont desploié
Pour se trouver si forvoié,
Quant je ne l'ay mieulx emploié?
3040 Assez me paine
D'oublïer tout pour estre saine,
Maiz je ne puis pour nulle paine
Oster ne l'amour ne la haine.
3044 L'amour assise
Y est de long temps fort esprise;
Son meffait y a haine mise:
A les oster est la maistrise.
3048 S'amant s'esloigne
Ou qu'il meurt en haulte besoigne,
L'onneur la loyauté tesmoigne;
Maiz je pers le mien en vergoigne
3052 Honteusement,
Villené treshideusement.
Les autres sont piteusement

Prins, ou mors vertüeusement
3056 Pour la couronne;
Et quoy qu'il soit de la personne,
Au moins la renommee bonne
Demeure, qui pour vie sonne.
3060 Maiz plus grevant
Est le mal que vois recevant:
Vif et sain, je pers mon servant
Et son honneur qui va devant,
3064 Car en ouvrant,
Son deshonneur est descouvrant
Par estre laschement ouvrant.
Je le pers en le recouvrant:
3068 La recouvrance
Honteuse en est la delivrance;
Recouvrer en est dessevrance,
Si suy de ma foy delivre en ce.
3072 Doncques n'a coulpe
Mort en mon deul – je l'en descoulpe.
Prison la voie ne m'estouppe
De le vëoir. Si n'en encoulpe
3076 Nul que moy lasse
Qui mieulx vëoir la mort amasse
Qu'il faillist que ainsi le blasmasse;
Maiz tel le boit qui tel le brasse.
3080 Si hay moy meismes
Et tous les mos que oncques deïsmes
Ou lieu ou premier nous veïsmes,
Et les cuers qu'en Amours meïsmes,
3084 Les souvenances,
Les pensers et les couvenances,
Les regars et les contenances,
Dont je porte les griefz penances,
3088 Se dire l'oz,
Quant depuis le temps qu'amé l'oz,
Ne m'en demeure part ne loz
D'onneur, de joie ne de loz.

3092 Dont sans faulz tour,
     Qui pert en champ son servitour,
     L'onneur, la bonté, la haultour
     Qui demeure, abat la tristour.
3096 Or n'ay confort,
     Ains le pers piz que s'il fust mort;
     Si di que mon mal est plus fort
     Et vueil jugement se j'ay tort. »
3100 « Or en jugiez, »
     M'a dit la tierce, « et abregiez
     Le debat, et vous en chargiez;
     Maiz gardez bien que comprengiez
3104 Les droiz de toutes
     Et laquele est en plus grans doubtes,
     Qui sue sang a plus grans goutes,
     Quant toutes voies lui sont rouptes.
3108 Au renouvel,
     La premiere en fin de l'anvel,
     Pour recouvrer joie et revel,
     Sans tort puet faire ami nouvel.
3112 La quarte peut
     Le faire si tost qu'elle veult;
     Et se la seconde se deult,
     En espoir son vray dueil requeult.
3116 Maiz moy lassete,
     Vif ou mort, mon las cuer regrete,
     Dont puet estre j'aime seulete
     Et si n'est droit qu'ailleurs le mecte.
3120 Sans rien celer,
     Je ne me puis, a brief parler,
     Ne d'amy pourveue appeller,
     Ne changier ne renouveler.
3124 Pensez cela. »
     Lors la premiere m'appella
     Et ses raisons renouvela,
     De la faucte d'espoir qu'elle a
3128 D'avoir jamaiz

Joie, plaisir, ayse ne paix,
Car trouver ne pourroit si vrais,
Tant noble, tel ne si parfaiz

3132 Que Mort lui oste,
Si a prins Desespoir pour hoste;
Les autres ont Espoir de coste.
Et si m'a prïé que je note,

3136 Ains que je couche
Sentence, qu'il n'est nul reprouche,
Prison ne perte si farouche
Que la mort trop plus ne courouche;

3140 Ce sont entroignes
D'y comparer autres besoignes
Ou il a conseil ou aloignes,
Car Mort n'a remede n'exoignes

3144 En nulz endroiz.
« Pour Dieu », dist el, « Jugiez a droiz
Et soit vostre parler si droiz
Que gardez y soient mes droiz. »

3148 Ainsi avoie
Tant a ouÿr par mainte voie
Que ne sceu que faire devoie,
N'a qui entendre ne savoie.

3152 L'une parloit,
L'autre se plaignoit et douloit;
Des yeulx mainte lerme couloit.
Chascune respondre vouloit:

3156 Leurs faiz disoient
Et la bataille maudisoient
Toutes; les fuites desprisoient,
En löant ceulx qui mors gesoient

3160 Ou asserviz
Es prisons ou ilz sont serfz vifz,
Desquelz le roy fut bien serviz.
Ceulx ont les grans biens deserviz

3164 Et n'en joÿssent.
Tant dirent que se les ouÿssent

Les fuitifz, point ne s'esjouÿssent;
Et croy que jamaiz ne fouÿssent,
3168 Ains demandassent
Pardon, et leurs pouoirs mandassent
En tant que leurs faiz amendassent
Et aux bons se recommandassent.
3172 La blasonnez
Furent et leurs faiz hault sonnez
Ainsi que gens abandonnez
Ou a l'eschaffaut sermonnez.
3176 Et s'embuschié
En fust un auprés bien muchié,
N'eust voulu pour une duchié
Qu'on l'eust apperceu ne huchié.
3180 Ains pouez crerre
Que pour honte de ceste guerre,
S'aler ne s'en peüst grant erre,
Se muchast volentiers en terre,
3184 Car l'une en dist
Que ce fust bien, qui les pendist,
Et l'autre que nul n'entendist
A eulx, et que on leur deffendist
3188 Les lieux honnestes,
Les cours, les jouxtes et les festes,
Et que jamaiz ne fussent prestes
Dames d'escouter leurs requestes,
3192 Maiz defuÿs
Fussent sans avoir nulz refuis,
Et de tous fussent ceulx fuÿs
Qui s'en sont du champ enfuÿs
3196 Com negligent;
Et du roy de France regent
Ont ceulx comme refuz de gent
Grevé l'onneur et prins l'argent.
3200 Tantost me tire
La seconde en disant: « Beau sire,
Entendez que je vous vueil dire.

Je croy que ce que je desire,
3204 Vous desirez
Et que je tire ou vous tirez.
Quant sentence pour moy direz,
Croiez que point ne mentirez.
3208 Vous savez bien
Et pour quel cas et puis combien
Nous n'eusmes en France nul bien.
Chascun scet don ce vient, combien
3212 Que on dissimule
Et que on fuit au fait et recule;
Maiz joie n'arons, nul ne nulle,
Tant com France soit incredule
3216 Et tant que on voit
Ainsi qu'au premier on devoit.
Peuple croit, se on l'appercevoit,
Plus mensonges que ce que on voit;
3220 Ainsi deboutent
Verité, et droit ne redoubtent.
Les trouveurs des bourdes escoutent,
Qui en sedicïon les boutent.
3224 Lors amusez
Sont les simples et abusez
Par gens en mauvaistié rusez,
Et pour leurs delis refusez
3228 Occasïon
Leur donnent par decepcïon
Et faulse machinacïon
De querir leur destructïon
3232 Et ledengier
Cil qui pour bien est en dangier,
Duquel, pour eulx a tort vengier,
Vouldroient bien le cuer mengier,
3236 En destruisant
L'innocent de vertuz luisant
Et en tout honneur reluisant,
Qui onq a nul ne fut nuisant;

³²⁴⁰ Maiz envaÿs
   A esté par les faulx naÿs
   Ou plas justiciers des païs,
   Grevé a tort et puis haïs.
³²⁴⁴ Et la l'a mis
   Fortune a qui il est soubmis,
   Qu'il n'a peu vivre o les amis.
   Or est prins de ses ennemis;
³²⁴⁸ Si apperroit
   Quë air et terre le herroit
   Et Fortune sa mort querroit,
   Quant vivre en paix ne le lerroit.
³²⁵² Oncques ne sceut
   Que fut joie ne point n'en eut;
   Et se avoir la voult, il ne peut
   Pour les nouveaulx maulx qu'il receut
³²⁵⁶ Et qu'il reçoit.
   Ses maulx un chascun apperçoit,
   Dont mon cuer tout autant reçoit;
   Qui dit qu'il a piz, se deçoit.
³²⁶⁰ La mort neü
   Nous a. Le cas est congneü;
   Estre ne puet descongneü.
   Onq en France tel cas n'a eu.
³²⁶⁴ Autres dommages:
   Desloyauté, faucte d'ommages,
   Perte d'amis et d'eritages,
   Males paroles, faulx lengages,
³²⁶⁸ Blasmes tixus
   Qu'a grant tort lui a l'en mis sus.
   Or est en prison par dessus,
   Dont encor n'est il pas yssus.
³²⁷² Si vous souvieigne
   De mon droit, et plus n'en couvieigne
   Parler, car quoy que nul maintieigne,
   J'ay le droit, si faut qu'il me vieigne. »
³²⁷⁶ Bien avisay

131

Son grant couroux et y visay,
Maiz la grant amour moult prisay
Qu'en ceste dame compris ay.
3280 Tant fut loyale
Que Fortune si dure et male
Ne puet amenrir son cuer pale
Vers s'amour tresespecïale.
3284 Et pour ce mentent
Ceulx qui dïent et qui consentent
Que quelque amour que dames sentent,
Tousjours de changier se dementent.
3288 Tel genglerie
Est contreuve par moquerie,
Car amour est sans menterie
Par hommes plus souvent perie,
3292 Et moins fëables
Y sont. Hommes tiennent leurs fables
De ce que femmes sont müables,
Maiz monstrez se sont varïables
3296 Trop plus que dames,
Et de conscïences et d'ames,
Puis dix ans dont ilz sont infames
Et trouvez moins fermes que fames
3300 En leur devoir.
On l'a peu en France savoir;
Tournez se sont avec l'avoir
Et n'ont pas ensuÿ le voir.
3304 Puis en bataille
S'en sont fuÿs comme peautraille,
Monstrans que d'onneur ne leur chaille
Et qu'en eulx loyauté deffaille.
3308 Or se teüssent
Ne blasme aux dames n'esmeüssent
De ce que deservy n'eüssent,
Se bien leurs fauctes congneüssent
3312 Et leur volage
Cuer qui passe temps en oultrage,

132

Don en honneur et bon courage
Pevent bien femmes l'avantage
3316 En emporter.
Ceste dame voulz conforter
Pour plus son couroux supporter,
Ne je ne m'en peu deporter.
3320 Pitié me fist
Que Fortune ainsi desconfit
Cil qui en tout bien se parfit
Et onq a autry ne meffit.
3324 Si diz: « Aiez
Espoir, et ne vous esmaiez.
Ja Fortune trop ne haiez
Et de rien ne vous effraiez.
3328 Ne croiez point
Qu'adez soit Fortune en un point;
Et s'a present elle vous point,
Elle remectra tout a point.
3332 Et mesmement
Je tien, selon vray jugement,
Que un douleureux commencement
Monstre signe d'exaulcement;
3336 Grant grief ou perte
Sans cause est voie en bien ouverte.
Dieu ne fait souffrir sans deserte
Paine qui ne soit recouverte;
3340 Tant ne tardast
Ou sa joie ne retardast,
Se a son proufit ne regardast
Et qu'un grant bien ne lui gardast. »
3344 Lors entretant
Qu'aloie ces faiz racontant,
En la tresbonne confortant,
La quarte s'aloit dementant
3348 Tresasprement
Et dist: « Je requier jugement
Que leurs diz et leur parlement

Ne me font point d'encombrement.
3352 Toutes trois dïent
Que les fuitifz, que tant maudïent
Et de qui a bon droit mesdïent,
Sont causes qu'en douleurs mendïent
3356 Tousjours nouvelles.
Doncques se leurs douleurs morteles
Par le fait des fuitifz sont teles,
Trop plus pres me touchent qu'a elles. »
3360 Ainsi je vis
Et me fut adoncques advis
Que ne me sceusse estre chevis
D'en jugier, et le feisse envis.
3364 Lors un point ay
Prins, en quoy je les appointay.
De leur debat me despointay;
Autre juge leur acointay
3368 Et diz en hault:
« D'ouÿr mon advis ne vous chault,
Car mon savoir trop petit vault;
Maiz tel juge com il vous fault
3372 Je vous querray,
Et si au vray en enquerray
Que vostre grace y acquerray
Et d'en jugier le requerray.
3376 Chascun tendroit
Que de ce qui appartendroit
Aux dames, dame en son endroit
Trop mieulx jugement en rendroit
3380 Certes que un homme,
Et mieulx entendroit quoy et comme.
Ma dame en juge je vous nomme,
Qui n'a pareille jusqu'a Romme;
3384 Et bien saira
De vous laquele droit aira
Et la verité n'en tayra.
Je demande s'il vous plaira. »

134

3388 D'accort en furent
    Et ma dame en juge receurent,
    Quant telz biens dire ouÿ m'en eurent.
    Et par mon lengage apperceurent
3392 Que pour le sens
    Et la doulceur qu'en elle sens,
    A estre tout sien me consens;
    Maiz a lui dire ne m'assens,
3396 Et si avra
    Tost un an qu'Amours m'en navra.
    Par mon cuer durement ouvra,
    Qui puis santé ne recouvra,
3400 Maiz aggreiga
    Mon mal qui depuis n'alleiga
    Et toute douleur m'asseiga.
    « Elas, Dieux, oseray ge ja
3404 Lui dire. Oser?
    Il me vauldroit mieulx reposer
    Que tel folie proposer,
    Car je puis assez supposer
3408 Qu'el me feroit
    Mourir quant me refuseroit;
    Son treshault cuer mien ne seroit
    Jamaiz, car trop s'abesseroit.
3412 Ne me chaulsist,
    Maiz qu'el le sceust: trop me vaulsist,
    Ne me donnast ou ne toulsist;
    Et ne m'amast se ne voulsist.
3416 Moult ay esté
    Pres d'elle et yver et esté,
    Maiz un jour fuz admonnesté
    Et lui diz de grant volenté
3420 A part, sans fainte,
    Qu'amant doit estre un an en crainte
    Sans oser descouvrir la plainte
    De quoy sa pensee est actainte.
3424 Bien lui souvient

De ces paroles, se devient;
Maiz s'en memoire lui revient,
El scet que le bout de l'an vient.
3428 Or me doint Dieux
Tant plaire une foiz a ses yeulx
Que ses vouloirs me soient tieulx
Qu'a tousjours il m'en soit de mieulx.
3432 Or est arbitre
De ce debat que j'enregistre
Et qu'a jugier lui administre.
Dieu doint qu'a honneur en puist ystre. »
3436 Tant labourerent
Et ma dame tant honnourerent
Qu'en son jugement demourerent.
Au departir de moy plourerent
3440 Et me tendoient
Les mains, et bien me commandoient
Dire que se recommandoient
A elle et raison demandoient.
3444 Grant chemin fismes
Tant qu'a un quarrefour venismes
Et la endroit nous departismes,
Car plus un chemin ne tenismes.
3448 A tant tournay
De la, et plus ne sejournay.
Envers Paris m'en retournay,
Car sans y estre, bon jour n'ay.
3452 Pourtant ce livre,
Pour estre de charge delivre,
A ma dame transmet et livre,
Par qui je puis mourir ou vivre.
3456 El le lira
Et pas ne les escondira,
Et puis son avis en dira;
Si sarons comme il en ira.
3460 Maiz pour enqueste
Faire du fait de quoy j'enqueste

Et trouver voie plus honneste,
Lui envoie ceste requeste
3464 Qu'escripte avoie.
« A la plus belle que je voie,
Ou j'ay en espargne ma joie
Et mon cuer, quel part que je soie,
3468 Tousjours lëesce,
Vraie santé, longue jennesce,
Et vers moy monstrer sa largesce
Et vouloir d'oster ma destresce
3472 Tresdure et grande;
De quoy a vous me recommande
Quant faire n'ose autre demande.
Il m'est commis que je demande
3476 Vostre avis, Belle,
D'une question bien nouvelle
Dont en ce livre la querele
J'ay mise en rime tele quele,
3480 Au long escripte;
Et se si bien ne la recite
Comment elle m'a esté dicte,
Ignorance m'en face quicte.
3484 Or la lisez
S'il vous plaist, afin que disez
De bouche, ou au moins escripsez,
Laquele plus triste eslisez
3488 De quatre amantes,
Dames belles, bonnes, savantes,
Qui sont tristes et desplaisantes
Et de leur debat requerantes
3492 Vostre sentence.
Et vous avez assez scïence;
Pour ce se sont submises en ce
Du tout a vostre conscïence.
3496 Ce hardement
J'ay prins a leur bon mandement,
Car prïé m'en ont grandement,

Que je tien pour commandement
3500 Et suis tenu
D'obeïr; si l'a couvenu.
Ce message m'est advenu
Et g'y suis volentiers venu.
3504 C'est le retrait
Ou je quier joie par long trait,
Et doncques quant le cuer s'y trait,
Les autres membres y actrait.
3508 Bien m'en vendra,
Car lors que vostre main tendra
Ce livre et lire y couvendra,
Du message vous souvendra,
3512 Qui n'a plus rien,
Si non ses douleurs, qui soit sien.
Et pourtant il desire bien
Que ce livre pour son grant bien
3516 Souvent peussiez
Veÿr, et que aussi bien leussiez
En son cuer, par quoy vous sceussiez
Quel pouoir dessuz lui eussiez
3520 Par droit acquis,
Car vostre doulceur m'a conquis
Et je n'y ay remede quis;
Amours l'a bien sceu et enquis.
3524 En gré soit pris
Ce livret pour vous entrepris,
Car se aucun bien y est compris,
Ce a fait l'amour dont suis espris;
3528 Et s'ay emprise
Trop haulte ou trop fole entreprise
De moy mectre en vostre servise,
Faictes du vostre a vostre guise. »

Explicit

138

LE DEBAT DE REVEILLE MATIN

I   Aprés mynuit, entre deux sommes,
          Lors qu'Amours les amans resveille,
          En ce païs cy ou nous sommes,
       4 Pensoye ou lit ainsi qu'on veille
          Quant on a la puce en l'oreille;
          Si escoutay un amoureux
          Qui a un autre se conseille
       8 Du mal dont il est doloreux.

II   Deux gisoient en une couche,
          Dont l'un veilloit qui fort amoit;
          Mais de long temps n'ovrry sa bouche,
      12 En pensant que l'autre dormoit.
          Puis oÿ je qu'il le nommoit
          Et huchoit pour mectre a raison,
          Dont l'autre forment le blamoit
      16 Et disoit: « Il n'est pas saison ».

III   Disoit cellui qu'Amours tenoit
          En telle pensee amoureuse
          Que de dormir ne lui tenoit
      20 Ne de faire chiere jouyeuse:
          « Ce me semble chose honteuse
          Que de dormir tant et si fort;
          Et pour ce m'est elle ennuyeuse
      24 Car il ne sert de riens qui dort ».

IV   L'autre dist, qui dormir vouloit
           Et a dormir avoit apris,
           Ne de devis ne lui chaloit
      28 Car de sommeil estoit espris:
           « Frere, se vous avez empris
           De veiller a voustre loysir,
           Les autres n'y sont pas compris.
      32 Face chascun a son plaisir ».

V   « Ha dia », dist l'Amoureux, « Beau sire,
           Tel voulsist veiller qui sommeille;
           Tel ploure qui voulsist bien rire;
      36 Tel cuide dormir qui s'esveille.
           Non pourtant, Bonne Amour conseille —
           Et moult souvent le dit on bien —
           Q'un bon amy pour l'autre veille
      40 Au gré d'autruy, non pas au sien. »

VI   *Le Dormeur*
         Je veillasse moult volentiers,
            Beaux amis, pour voustre plaisance,
            Si vous peussiez endementiers
      44 Dormir pour moy a souffisance.
           Mais remectez en oublïance
           Jusqu'a demain toute autre chose;
           Et dorme qui avra puissance,
      48 Car il languist qui ne repose.

VII   *L'Amoureux*
         Oublïer! Las, il n'entr'oblie
            Pas ainsi son mal qui se deult.
            Chascun dit bien: « Oblie, oublie »,
      52 Mais il ne le fait pas qui veult.
           Tel le vouldroit qui ne le puet:
           Force lui est, plaise ou non plaise;
           Mais ceulx qui la doleur n'aqueult
      56 Si en parlent bien a leur aise.

Le Dormeur

Et quel bien, ne quelle conteste
Puet il doncques venir a homme
De veiller et rompre sa teste
60 Et ne prendre repos ne somme?
Cela ne sert pas d'une pomme
A ce de quoy on a besoing.
Dormez, et puis aprés en somme
64 Faites ce dont vous avez soing.

IX

L'Amoureux

Le dire ne vous couste guiere,
Mais je le sens bien autrement.
Bien dormir est chose legiere
68 A qui pense legierement.
Pour ce fait on foul jugement
Bien souvent, et a peu d'arrest
Sur ceulx qui ont tel pensement,
72 Quant on n'a essayé que c'est.

X

Le Dormeur

Est ce par jeu ou passetemps
Ou s'il vous en va en ce point?
Je ne pourroye estre contens
76 Quant a moy de ne dormir point.
Qu'avez vous? Quel mouche vous point,
Dont tant en vain vous travaillez?
Au fort ja n'yra moins a point
80 Se je dors tant que vous veillez.

XI

L'Amoureux

Jouer? Las, nenny. C'est acertes
Si au vif qu'on ne pourroit mieulx,
Puis que tout y va, gaing ou pertes;
84 Il est assez de plus beaux jeux.
Mais quant un bon amy est tieulx
Que vers son amy bien se porte,

A toutë heure, et en tous lieux,
⁸⁸ Il n'est riens qui tant resconforte.

XII   *Le Dormeur*
Quel resconfort ou quel secours
Vous puet il venir de ma part,
Se voustre mal vous vient d'Amours
⁹² Ou du trait d'un plaisant regart,
Ou de Reffus, dont Dieu vous gart,
Car mieulx vauldroit tenir prison?
Celle qui a geté le dart
⁹⁶ Porte avec soy la garison.

XIII   *L'Amoureux*
La garison ne me puet pas,
Amis, venir de vous ne d'ame,
Ne je ne puis passer ce pas
¹⁰⁰ Se ce n'est par mercy de dame.
Mais, s'a vous comme amy sans blame
Je di ce qui m'estraint et charge,
En descouvrant ma dure flame,
¹⁰⁴ J'en avray le cuer plus au large.

XIV   *Le Dormeur*
Doncques puis que vous le voulez
Et que le dire vous prouffite,
Et la doleur dont vous doulez
¹⁰⁸ Amaindrist d'estre plainte et dite,
Je vous requier que je m'aquite
Envers vous d'en ouÿr le compte;
Et s'a autre je le recite,
¹¹² J'en vueil avoir reprouche et honte.

XV   *L'Amoureux*
Par Dieu, frere, je vous diray,
Comme a homme en qui je me fie,
De ce dont plus grant desir ay,

116 Soit pour ma mort ou pour ma vie.
   J'ay de long temps une servie,
   A mon gré sage, bonne et belle,
   Et de tous biens tresassuvie
120 Fors que pitié n'est pas en elle.

XVI   *Le Dormeur*
   Certes, puis que Nature a mis
   En elle tant de biens en euvre,
   Il ne puet estre, beaux amis,
124 Que soubz eulx pitié ne se queuvre.
   S'elle si toust ne se descueuvre,
   Pourtant ne vous desconfortez,
   Car il ne fault pas qui recueuvre;
128 Ne vous, se bien vous y portez.

XVII   *L'Amoureux*
   Portez! Las, qui pourroit jamais
   Amer dame plus loyaument
   Que j'ay fait elle et que je fais,
132 Dont j'ay souffert tant longuement
   Dure peine, ennuy et tourment
   Qu'il pert que je suis né atout
   Et qu'onques ne fu autrement;
136 Et si n'en puis trouver le bout.

XVIII   *Le Dormeur*
   Dya, compains, qui se veult soubmectre
   Desoubz l'amoureuse maistrise,
   Il se fault de son cuer desmectre
140 Et n'estre plus en sa franchise.
   Se voustre voulenté s'est mise
   En dame ou il ait tel dangier,
   Il fault qu'il en soit a sa guise;
144 En vous n'est pas du chalenger.

L'Amoureux

En moy n'en est, n'il ne m'affiert
Se non de prïer et de plaindre
Comme cellui qui mercy quiert
148 Et qu'Amours fait a ce contraindre.
Mais, s'il est ainsi que par faindre
Plusieurs ont des biens, comme on dit,
Et loyaux n'i puissent actaindre,
152 Je suis maleureux et maudit.

Le Dormeur

Qui bien a commencié parface;
Qui bien a choisy ne se meuve;
Car a la ffin, quoy qu'on pourchace,
156 Qui desert le bien, il le treuve.
Un cuer loyal de fine espreuve
A plus de joye, quoy qu'il tarde,
Que n'ont ceulx qui font dame neuve
160 De chascune qui les regarde.

L'Amoureux

Un bien de ceulx qui loyaulx sont,
Quant il leur puet d'Amours bien
[prendre,
Est si grant que les faulx n'en ont
164 Pas la centiesme part du mendre.
Mais le grief mal que c'est d'actendre
En longue douleur la deserte,
Leur fait sembler qu'on leur veult vendre
168 Ce qu'Amours donne ailleurs en perte.

Le Dormeur

Je ne say se trop en enquier,
Mais puis qu'en moy tant vous fïez,
Or me comptez, je vous requier,
172 Quant il avient que vous prïez
La belle et mercy lui crïez

A basse voix et jointes mains,
Pour chose que vous lui dïez,
176 Y trouvez vous ne plus ne moins?

XXIII   *L'Amoureux*
Certes, quant a ceste demande,
Croiez et le saichiez de voir
Que la doulceur d'elle est si grande,
180 Le beau parler et le savoir —
Soit d'esloingnier ou recevoir —
Et sa response si courtoise,
Que plus lui pri sa grace avoir
184 Et mieulx say que ma doleur poise.

XXIV   *Le Dormeur*
Il n'est point de dame en ce monde,
S'il avient que l'on la requiere,
Qu'il ne faille qu'elle responde
188 En une ou en autre maniere.
Dame n'est mie si legiere
Que pour son droit ne se deffende;
Mais combien que Durté soit fiere,
192 A la fin fault il qu'el se rende.

XXV   *L'Amoureux*
Pour plourer, plaindre et souspirer,
Ne pour riens que je saiche dire,
Autre chose n'en puis tirer,
196 Ne d'octroier ne d'escondire,
Fors sans plus qu'il me doit souffire,
Sans y reclamer autre droit,
S'elle veult mon bien et desire —
200 Et de chascun en son endroit.

XXVI   *Le Dormeur*
C'est une chose bien sëant
A dame de tout bien vouloir,

Et de n'estre a nulli vëant
204 Bel Acueil s'il a bon vouloir.
Mais s'un loyal pour mieulx valoir
De tous poins a elle se donne,
El se doit de son mal douloir
208 S'autrement ne le guerredonne.

XXVII   *L'Amoureux*
Trembler, tressaillir, tressüer,
Triste de cuer, feible de corps,
Cuer faillir et couleur müer
212 M'a veu souvent, et mes yeulx lors
Plourer ens et rire dehors
Pour estre aux joyeux ressamblant.
Et puis n'y treuve je riens fors
216 Courtois parler et beau semblant.

XXVIII   *Le Dormeur*
Se le beau semblant vient du cuer
Naïf et non pas contrefait,
Ne croiez, frere, pour nul feur,
220 Puis qu'elle congnoist voustre fait
Et, pour l'amer du cuer parfait,
Vous voit souffrir si dure peine...
Se le mal d'amours vous meffait,
224 Croiez qu'el n'en est mie saine?

XXIX   *L'Amoureux*
Nulli ne prent melencolie
De chose dont il ne lui chault.
Se j'ay du mal, c'est ma folie;
228 Ce ne lui fait ne froit ne chault.
Mais au fort, qui plus bee hault,
Il a plus fort a besoingnier;
Par Messire Ode et par Machaut
232 Se puet il assez tesmoingner.

146

XXX   *Le Dormeur*

Or par la foy que vous devez
A Dieu et a voustre maistresse,
Est ce quantque vous y avez
236 D'esperance ne de promesse?
Avez vous prisé ceste adresse
De l'amer tousjours sans rappel,
Et de renoncier a lïesse
240 Pour demourer en ceste pel?

XXXI   *L'Amoureux*

Se m'aist ores Dieu que je sens
Mon cuer si hors de mon bandon
Que, quoy que soit, folie ou sens,
244 Puis que je le donnay en don –
Et n'eusse jamais guerredon –
Il me convient en ce point vivre.
Se j'en meur, Dieu me doint pardon;
248 Si seray de tous maulx delivre.

XXXII   *Le Dormeur*

Merci de dame est un tresor
Pour enrichir amans sur terre,
Si ne l'a pas chascun tresor
252 Qui a voulenté de l'aquerre;
Ainsi le fault a dangier conquerre
Et en souffrir doleur amere,
Car pour prïer ne pour requerre
256 Nul n'a bien s'il ne le compere.

XXXIII   *L'Amoureux*

Que puis je comparer plus chier
Qu'i mectre cuer, vie et courage?
Je n'ay mieux pour en jeu couchier,
260 Si bon plege ne tel hostaige.
Mais ma dame a trop l'avantaige,
Dont la chose est pis departie,

147

Car el garde mon cuer pour gage
264 Et fault qu'el soit juge et partie.

XXXIV   *Le Dormeur*
Aux amans est de bien servir
A la fin qu'en grace en deviennent,
Et aux dames de desservir
268 A ceulx qui a droit se maintiennent.
Puis que les biens des dames viennent
A elles est deu le service;
Et est bien raison qu'elles tiennent
272 Sur leurs servans court et justice.

XXXV   *L'Amoureux*
Je ne dy pas, Dieu m'en deffende,
Qu'il ne soit raison qu'elle juge
Sur moy tel peine ou tel amende
276 Qu'il lui plaist, car pour cela fu ge
Contraint de venir a reffuge
Vers elle qui ne s'en recorde;
Mais bien seroit a un tel juge
280 Un peu plus de misericorde.

XXXVI   *Le Dormeur*
Puis que vous estes si avant,
Savez vous comme il en yra?
Il vous fault vivre en la servant.
284 Souffrez tant qu'il lui souffira;
Et quant elle vous sentira
Humble, secret et bien amant,
Par Dieu, son cuer s'adoulcira.
288 Dame n'a pas cuer d'aÿmant.

XXXVII   *L'Amoureux*
Helas! Je n'ay pouoir n'espace
D'aler avant ne de retraire.
Je suis le poisson en la nasse,

292 Qui entre ens et ne s'en puet traire.
Vivre en ce point m'est si contraire
Qu'il me fault cuer et corps faillir;
Mais pour mal que je puisse traire
296 N'en puis eschaper ne saillir.

XXXVIII   *Le Dormeur*
En actendant sans soy lasser,
Në autre que vous acuser,
Vous convient il le temps passer;
300 Actendre bien n'est pas muser.
Trop grant actrait fait amuser
Souvent, et deçoit et aluche;
Mais soubz un courtois reffuser
304 Sont les biens d'amours en embuche.

XXXIX   *L'Amoureux*
De long temps a, n'ay sceu ouvrir,
Ne trouver maniere ne tour
De ceste embusche descouvrir,
308 Ou ma joye est en un destour.
J'ay esté emprés et autour,
Mais oncq jusqu'a elle n'avins;
Et quant j'en vien a mon retour
312 Je suis en l'estat que je y vins.

XL   *Le Dormeur*
Bel Acueil n'est mie haÿs
D'Amours qui n'a cure d'orgueil,
Mais le fait franc en son païs,
316 Si que nul si hardi sur l'ueil
De clamer droit sur Bel Acueil,
Ne chalanger de ses biens fors ce
Qu'il a donné de son bon vueil,
320 Sans faire contrainte ne force.

XLI

L'Amoureux

Nully ne puet Amours forcier
A donner les biens qui sont siens,
Ne je ne me vueil efforcier
324 Qu'a requerir grace et plus riens.
Mais tant qu'en loyauté me tiens,
Puet survenir autre servant
Et me reculer de ses biens
328 Que j'ay pourchacez par avant.

XLII

Le Dormeur

S'autruy lui plaist, et elle l'ayme,
De tort plaindre ne vous pouez;
Mais s'elle pour servant vous clame,
332 Si l'en mercïez et louez.
Autrement ne vous y jouez,
Car il convient que les dons voysent
Aux sains a qui ilz sont vouez;
336 Ceulx qui n'en ont si s'en apaisent.

XLIII

L'Amoureux

Las voire! Mais comme prendra
En gré cuer qui longuement sert,
S'il voit un autre qui tendra
340 La joye du bien qu'il dessert?
S'en bien servant on le dessert,
Son service est mal advenant,
Quant le temps et le loyer pert,
344 Et le reçoit un survenant.

XLIV

Le Dormeur

En amours n'a se plaisir non.
Tel y cuide estre receü
Et plaire et avoir bon renon
348 Qui souvent en est deceü;
Et quant une dame a veü
Des gens d'un et d'autre degré,

Puis que le choys lui est deü,
352 Elle doit choisir a son gré.

XLV   *L'Amoureux*
Or je pri a Dieu qu'Il me doint
Selon le bon droit que je y ay,
Et que ja Dieu ne me pardoint
356 S'oncques vers elle varïay;
Mais, puis que premier la prïay
Et qu'elle congnoist mon desir,
Je pri Dieu ou je me fïay
360 Qu'Il ne lui doint pas pis choisir.

XLVI   *L'Acteur*
Ainsi l'aube du jour creva
Et les compaignons s'endormirent,
N'oncques nulx d'eulx ne se leva
364 Tant que huit heures lever les firent.
Si mis en escript ce qu'ilz dirent
Pour mieulx estre de leur butin,
Et l'ont nommé ceulx qui le virent
368 Le debat Reveille Matin.

COMPLAINTE

I   Contre toy, Mort doloreuse et despite,
      Angoisseuse, maleureuse, maudite,
      Et en tes fais merveilleuse et soudaine,
4 Ceste complainte ay fourmee et escripte
      De cuer courcié, ou nul plaisir n'abite,
      Noircy de dueil et aggrevé de peine.
      Je t'appelle de traïson vilaine;
8 De toy me plaing de toute riguer plaine,
      Quant ta durté a tort me desherite
      Du riche don de joye souverainne,
      Et que ton dart a piteuse fin maine
12 Le chois d'onneur et des dames l'eslite.

II   Tu m'as tolu ma dame et ma maistresse,
      Et as murtry mon cuer et ma lëesse
      Par un seul cop dont ilz sont tous deux mors.
16 Du cuer n'est riens puis que plaisir le laisse
      Et que je pers la joye de jennesse;
      Ainsi n'ay plus fors la voix et le corps.
      Mes yeulx pleurent ens et rïent dehors,
20 Et tousjours ay le doloreux remors
      Du hault plaisir qui de tous poins me cesse.
      Las! Or n'est plus ce que j'avoye, Amors.
      Je muir sur bout, et en ce point me pors
24 Comme arbre sec qui sur le pié se dresse.

152

III   Si suis desert, despointé et deffait
       De pensee, de parolle et de fait,
       De los, de joye et de tout ce qui fait
28 Cuer en jennesse a hault honneur venir,
       Quant a celle qui ne t'a riens meffait
       Tu as osté ce qu'el n'a pas forfait
       Et qui jamais ne puet estre reffait.
32 C'est sa vie que tu as fait fenir,
       Dont la mienne se souloit soustenir
       Pour mieulx valoir et plus hault avenir
       Et mectre peine a meilleur devenir.
36 Or as tu tout mon penser contrefait;
       Si ne say plus a quoy me doy tenir,
       Et ne me puet de confort souvenir,
       Quant j'ay perdu sans jamais revenir
40 De tous les biens ce qu'estoit plus parfait.

IV   Qui me pourroit de ce dueil conforter?
       Je n'ay pas cuer a tel doleur porter,
       Car adoulcir ne puis ne supporter
44 Les durs accés de mon dolent mesaise.
       C'est temps perdu que de moy enorter
       A m'esjouïr, rire ne deporter:
       On ne me puet nouvelles apporter
48 Ne langage si plaisant qui me plaise;
       Plaindre et plourer sont mes jeux et mon aise.
       Je n'ay soussi jamais comme tout voise;
       Il ne me chaut a qui mon fait desplaise.
52 Chascun en puet a son gré rapporter;
       Parle qui veult, et qui vouldra se taise,
       Et qui avra parlé si se rapaise,
       Car ma fortune est telle et si mauvaise
56 Qu'el ne puet pis pour moy desconforter.

V   Jugiez par qui ne pourquoy ce seroit,
       Et comme dame ou Amours cuideroit
       Qu'aprés sa mort mon cuer autre ameroit,

153

⁶⁰ Ou que mon cuer prendroit en riens plaisance,
Car qui tousjours de son bien parleroit
Et d'en parler jamais ne cesseroit,
Le langage ses faiz ne passeroit;
⁶⁴ On ne la puet louer a souffisance.
Tout s'efforça au jour de sa naissance:
Les elemens y firent aliance;
Nature y mist le hault de sa puissance
⁶⁸ Et dist qu'alors un chief d'euvre feroit,
Ou tant mectroit sens, honneur et savance
Qu'on vauldroit mieulx de sa seule acointance.
Pardonnez moy de dire oultrecuidance,
⁷² Mais d'autre amer mon cuer s'abesseroit.

VI   Je ne dis pas – ne l'entente n'est telle –
Qu'il n'ait des biens en mainte dame belle,
Et qu'il n'en soit de tresbonnes sans elle,
⁷⁶ Ou faulte n'a de rien que dame amende.
Ainçois maintien des dames la querrelle,
Pour leur bonté qui croist et renouvelle;
Et se je fail en rien, je m'en rappelle
⁸⁰ Et cry mercy et engage l'amende.
Mais c'est trop fort que jamais je m'actende
A mieulx trouver, quelque part que je tende
N'en quelque lieu que mon las cuer se rende;
⁸⁴ Et y faillir seroit douleur mortelle.
En ce point veult Amours que je l'entende
Et qu'a tousjours Loyauté m'en deffende,
Qui tant l'ayma et tant fu de sa bende
⁸⁸ Que peu s'en fault qu'el n'est morte avec elle.

VII   Helas! Pourquoy me fist Amours emprendre
A tant l'aymer et si hault entreprendre,
Et moy donner tel don pour le reprendre
⁹² Et de tel joye yssir pour souspirer?
Or me punist Fortune, sans mesprendre,
Pour celle amer, ou n'avoit que reprendre

154

Et ou Nature et Dieu vouldrent comprendre
⁹⁶ Ce qu'on savroit a souhait desirer,
Qui tous les biens vouldroit en un tirer;
En elle estoit, sans autres empirer,
Le droit mirouer pour les autres mirer,
¹⁰⁰ Ou chascun puet sans riens mectre tout prendre.
Si ne say plus de quel part me virer,
Si non offrir mon cuer a martirer
Et de tous poins d'Amours le retirer,
¹⁰⁴ Com chevalier qui ses armes vient rendre.

VIII   Ainsi mon temps en doleur use et passe,
        Dont le surplus desja m'ennuye et lasse,
        Ne je n'ay jour, heure, lieu në espasse
¹⁰⁸ De rien penser qui mon espoir soustieigne.
        Je faiz tresor de regrez que j'amasse,
        Et n'est un bien passé que j'oublïasse;
        J'en rens compte sans q'un seul en trespasse,
¹¹² Par chascun jour, quelque choise qu'avieigne.
        Il est force qu'adés il m'en souvieigne,
        Quel que je soye et quel que je devieigne,
        Tant que l'ame dedans le corps se tieigne;
¹¹⁶ Et n'est chose dont mieulx ne me passasse.
        Fortune veult qu'en ce point me contieigne;
        C'est la leçon qu'il fault que je retieigne.
        J'ay pris ce ploy; force est que le maintieigne,
¹²⁰ Si seroit fort que jamais le changasse.

IX   Helas! Comment m'est Fortune si dure,
        Ne comme a Dieu souffert ceste aventure
        Que de tous poins met a desconfiture
¹²⁴ Ma lïesse, mon espoir et ma vie?
        Qui puet mouvoir a ce Dame Nature,
        Qui a souffert qu'on lui feist tel injure
        De deffaire si perfaicte figure
¹²⁸ Qu'a droit patron avoit faicte assouvie,
        Pour esbahir et desconfire Envie

Qui mesdisans a mesdire convie?
Mais s'el en eust cent foiz sa foy plevie,
132 Si ne sceut el dire faulte ou laidure.
Or l'a la mort en jenne aage ravie,
Et moy, qui l'ay tant loyaument servie,
Viz en doleur sans l'avoir desservie
136 Et sans savoir pourquoy ma vie dure.

X   Mes semblans sont de joye contrefaiz,
Tout au rebours du penser et des faiz,
Et ne me plaist riens de ce que je faiz
140 S'il ne sortist a doulours et a plains.
Estre tout seul est ma joye et ma paix;
Je chemine sans savoir ou je vais.
Qui parle a moy, je l'escoute et me tais
144 Et pense ailleurs s'a force ne me vains.
J'oy les autres chanter, et je me plains;
Ilz vont dançant, et je detors mes mains;
Ilz festoient, et je tout seul remains;
148 J'ay fait leurs tours: maintenant les deffais.
Plus voy jouer, et tant m'esjouÿs moins;
Tous mes plaisirs sont de lermes estains.
Le noir me plaist, car mon cuer en est tains
152 De tainture qui ne fauldra jamais.

XI Trop dur espart est sur moy esparty,
Quant esgaré me treuve et departy
D'un per sans per, qui oncques ne party
156 En faintise n'en legier pensement.
Oncq ensemble n'avïons riens parti
Mais un desir, un vouloir, un parti,
Un cuer entier de deux cuers miparti,
160 Pareil plaisir et commun sentement.
Mort, or as tu fait le departement
Dont j'ay pardu mon bien entierement;
Si appelle de ton faulx jugement
164 Car tout ce mal m'est avenu par ti,

Dont je renonce a tout esbatement,
Chacié d'Espoir, banny d'Alegement,
Et souhaite la mort tant seulement
[168] Disant: « Mon cuer, pourquoy ne se part y? »

XII Si prens congié et d'Amours et de Joye
Pour vivre seul a tant que mourir doye,
Sans moy trouver jamays en lieu n'en voye
[172] Ou Lïece ne Plaisance demeure.
Les compaignons laise que je hantoie.
Adieu, chançons que voulentiers chantoye
Et joyeux diz ou je me delitoye;
[176] Tel rit joyeux qui aprés dolent pleure.
Le cuer m'estraint; angoisse me queurt seure.
Ma vie fait en moy longue demeure;
Je n'ay membre qu'a mourir ne labeure,
[180] Et me tarde que ja mort de dueil soye.
Autre bien n'ay, n'autre bien n'assaveure
Fors seulement l'actente que je meure;
Et desire que briefment vieigne l'eure,
[184] Qu'aprés ma mort en paradis la voye.

Explicit

LA BELLE DAME SANS MERCY

I

Nagaires, chevauchant, pensoye
Com home triste et doloreux,
Au dueil ou il fault que je soye
⁴ Le plus dolent des amoureux,
Puis que, par son dart rigoreux,
La mort me tolly ma maistresse
Et me laissa seul, langoreux
⁸ En la conduite de Tristesse.

II

Si disoye: « Il fault que je cesse
De dicter et de rimoyer,
Et que j'abandonne et delaisse
¹² Le rire pour le lermoyer.
La me fault le temps employer,
Car plus n'ay sentement në aise,
Soit d'escrire, soit d'envoyer
¹⁶ Chose qu'a moy në autre playse.

III

Qui vouldroit mon vouloir contraindre
A joyeuses choses escrire,
Ma plume n'y savroit actaindre,
²⁰ Non feroit ma langue a les dire.
Je n'ay bouche qui puisse rire
Que les yeulx ne la desmantissent,
Car le cuer l'envoyroit desdire
²⁴ Par les larmes qui des yeulx yssent.

IV   Je laysse aux amoreux malades
                 Qui ont espoir d'alegement
                 Faire chançons, diz et balades,
        28 Chascun a son entendement,
                 Car ma dame en son testament
                 Print a la mort, Dieu en ait l'ame,
                 Et emporta mon sentement
        32 Qui gist o elle soubs la lame.

V   Desormais est temps de moy tayre,
                 Car de dire suis je lassé.
                 Je vueil laissier aux autres faire:
        36 Leur temps est; le mien est passé.
                 Fortune a le forcier cassé
                 Ou j'espargnoye ma richesse
                 Et le bien que j'ay amassé
        40 Ou meilleur temps de ma jennesse.

VI   Amours a gouverné mon sens:
                 Se faulte y a, Dieu me pardonne;
                 Se j'ay bien fait, plus ne m'en sens,
        44 Cela ne me toult ne me donne,
                 Car au trespas de la tresbonne
                 Tout mon bienfait se trespassa.
                 La mort m'assit ilec la bonne
        48 Qu'onques puis mon cuer ne passa. »

VII   En ce penser et en ce soing
                 Chevauchay toute matinee,
                 Tant que je ne fu gaire loing
        52 Du lieu ou estoit la dinee;
                 Et quant j'euz ma voye finee
                 Et que je cuiday herbergier,
                 J'ouÿ par droicte destinee
        56 Les menestriers en un vergier.

VIII   Si me retrahy voulentiers
En un lieu tout coy et privé,
Mais quant mes bons amis antiers
60 Sçurent que je fu arrivé,
Ilz vindrent. Tant ont estrivé,
Moitié force, moitié requeste,
Que je n'ay oncques eschivé
64 Qu'ilz ne me mainent a la feste.

IX   A l'entrer fu bien recueilli
Des dames et des damoiselles,
Et de celles bien acueilly
68 Qui toutes sont bonnes et belles;
Et de la courtoisie d'elles
Me tindrent ilec tout ce jour
En plaisans parolles nouvelles
72 Et en tresgracïeux sejour.

X   Disner fu prest et tables mises.
Les dames a table s'assirent
Et quant elles furent assises,
76 Les plus gracïeux les servirent.
Telz y ot qui a ce jour virent
En la compaignie lïens
Leurs juges, dont semblant ne firent,
80 Qui les tiennent en leurs lïens.

XI   Un entre les autres y vy,
Qui souvent aloit et venoit,
Et pensoit comme homme ravy
84 Et gaires de bruit ne menoit.
Son semblant fort contretenoit;
Mais Desir passoit la raison,
Qui souvent son regart menoit
88 Tel foiz qu'il n'estoit pas saison.

160

XII   De faire chiere s'efforsoit
            Et menoit une joye fainte,
            Et a chanter son cuer forsoit
     92 Non pas pour plaisir mais pour crainte,
            Car tousjours un relais de plainte
            S'enlaçoit au son de sa voix;
            Et revenoit a son atainte
     96 Comme l'oisel au chant du bois.

XIII   Des autres y ot plaine sale,
            Mais cellui trop bien me sembloit
            Ennuyé, maigre, blesme et pale,
    100 Et la parolle lui trembloit.
            Gaires aux autres n'assembloit;
            Le noir portoit et sans devise,
            Et trop bien home ressembloit
    104 Qui n'a pas son cuer en franchise.

XIV   De toutes festoyer faingnoit,
            Bien le fist et bien lui sëoit;
            Mais a la foiz le contraingnoit
    108 Amours qui son cuer hardëoit
            Pour sa maistresse qu'il vëoit,
            Que je choysi lors clerement
    112 A son regart qu'il assëoit
            Sur elle si piteusement.

XV   Assez sa face destournoit
            Pour regarder en autres lieux,
            Mais au travers l'ueil retournoit
    116 Au lieu qui lui plaisoit le mieulx.
            J'apperceu le trait de ses yeulx,
            Tout empenné d'umbles requestes;
            Si dis a par moy: « Se m'aist Dieux,
    120 Autel fumes comme vous estes ».

XVI   A la foiz a part se tiroit
                Pour raffermer sa contenance,
                Et trestendrement souspiroit
         124 Par doloreuse souvenance.
                Puis reprenoit son ordonnance
                Et venoit pour servir les mes,
                Mais a bien jugier sa semblence,
         128 C'estoit un piteux entremés.

XVII   Aprés disner on s'avança
                De dancer, chascun et chascune,
                Et le triste amoureux dança
         132 Adés o l'autre, adés o l'une.
                A toutes fist chiere commune,
                O chascune a son tour aloit;
                Mais tousjours retournoit a une
         136 Dont sur toutes plus lui chaloit.

XVIII   Bien avoit a mon gré visé
                Entre celles que je vi lors,
                S'il eust au gré du cuer visé
         140 Autant que a la beauté du corps;
                Qui croit de legier les rappors
                De ses yeulx sans autre esperance,
                Pourroit mourir de mille mors
         144 Avant qu'ataindre a sa plaisance.

XIX   En la dame ne failloit riens,
                Ne plus avant ne plus arriere.
                C'estoit garnison de tous biens
         148 Pour faire a cuer d'amant frontiere:
                Jeune, gente, fresche et entiere;
                Maintien rassis et sans changier;
                Doulce parolle et grant maniere,
         152 Dessoubz l'estendart de Danger.

XX   De celle feste me lassay,
Car joye triste cuer travaille,
Et hors de la presse passay;
156 Si m'assis derriere une treille
Drue de fueilles a merveille,
Entrelacee de saulx vers,
Si que nul, pour l'espesse fueille,
160 Ne me peüst veoir au travers.

XXI   L'amoureux sa dame menoit
Dancer quant venoit a son tour,
Et puis sëoir s'en revenoit
164 Sur un prëau vert au retour.
Nulz autres n'avoit a l'entour
Assis, fors seulement les deux;
Et n'y avoit autre destour
168 Fors la treille entre moy et eulx.

XXII   J'ouÿ l'amant qui sospiroit,
Car qui plus est pres plus desire,
Et la grant doleur qu'il tiroit
172 Ne savoit taire et n'osoit dire;
Si languissoit auprés du mire
Et nuysoit a sa garison,
Car qui art ne se puet plus nuyre
176 Qu'approucher le feu du tison.

XXIII   Le cuer ens ou corps lui croissoit,
D'engoisse et de päeur estraint,
Tant qu'a bien peu qu'il ne froissoit
180 Quant l'un et l'autre le contraint.
Desir boute: Crainte restraint;
L'un eslargist: l'autre resserre;
Si n'a pas peu de mal empraint
184 Qui porte en son cuer telle guerre.

163

XXIV   De parler souvent s'efforça
       Se Crainte ne l'eust destourné;
       Mais en la fin son cuer força
188   Quant il ot assez sejourné.
       Puis s'est vers la dame tourné
       Et dist bas, en plourant adoncques:

                    L'Amant
       Mal jour fu pour moy adjourné,
192   Ma dame, quant je vous vy oncques.

XXV   *Item l'Amant*
       Je souffre mal ardent et chault
       Dont je muir pour vous bien vouloir,
       Et si voy qu'il ne vous en chault
196   Et n'avez d'y penser vouloir;
       Mais en trop moins qu'en nonchaloir
       Le mectez quant je le vous compte,
       Et si n'en pouez pis valoir,
200   N'avoir moins honneur ne plus honte.

XXVI   *Item l'Amant*
       Helas! Que vous grieve, ma dame,
       S'un franc cuer d'omme vous veult bien?
       Et se par honneur et sans blame
204   Je suis voustre et voustre me tien?
       De droit je n'y chalenge rien,
       Car ma volenté s'est soubzmise
       En voustre gré, non pas au mien,
208   Pour plus asservir ma franchise.

XXVII   *Item l'Amant*
       Ja soit ce que pas ne desserve
       Voustre grace par mon servir,
       Souffrez au moins que je vous serve
212   Sans voustre mal gré desservir.
       Je serviray sans desservir

En ma loiauté observant,
Car pour ce me fist asservir
²¹⁶ Amours d'estre voustre servant.

XXVIII

L'Acteur

Quant la dame oÿ ce langage,
Elle respondy bassement,
Sans müer couleur ne courage
²²⁰ Mais tout amesureement:

La Dame

Beau sire, ce foul pensement,
Ne vous laissera il jamais?
Ne penserez vous autrement
²²⁴ De donner a voustre cuer paix?

XXIX

L'Amant

Nulli n'y pourroit la paix mectre
Fors vous qui la guerre y meïstes
Quant voz yeulx escrirent la lectre
²²⁸ Par quoy deffier me feïstes,
Et que Doulx Regart transmeïstes,
Herault de celle deffïance,
Par lequel vous me promeïstes
²³² En deffïant, bonne fïance.

XXX

La Dame

Il a grant fain de vivre en dueil
Et fait de son cuer lasche garde,
Qui contre un tout seul regard d'ueil
²³⁶ Sa paix et sa joye ne garde.
Se moy ou aultre vous regarde,
Les yeulx sont faiz pour regarder.
Je n'y prent point aultrement garde;
²⁴⁰ Qui y sent mal s'en doit garder.

XXXI   *L'Amant*
            S'aucun blece autruy d'aventure
            Par coulpe de cellui qui blece,
            Quoy qu'il n'en puet mais par droicture,
        244 Si en a il dueil et tristece.
            Et puis que Fortune ou Rudece
            Ne m'ont mie fait ce meshaing,
            Mais voustre tresbelle jeunece,
        248 Pourquoy l'avez vous en desdaing?

XXXII   *La Dame*
            Contre vous ne desdaing n'ataine
            N'euz je oncques ne n'y vueil avoir,
            Ne trop grant amour ne trop haine,
        252 Ne voustre priveté savoir.
            Se Cuider vous fait percevoir
            Que peu de chose puet trop plaire,
            Et vous vous voulez decevoir,
        256 Ce ne vueil je pas pourtant faire.

XXXIII   *L'Amant*
            Qui que m'ait le mal pourchacé,
            Cuider ne m'a point deceü;
            Mais Amour m'a si bien chacé
        260 Que je suis en voz laz cheü.
            Et puis qu'ainsi m'est escheü
            D'estre a mercy entre voz mains,
            S'il m'est au chëoir mescheü,
        264 Qui plus tost meurt en languist moins.

XXXIV   *La Dame*
            Si gracïeuse maladie
            Ne met gaires de gens a mort,
            Mais il siet bien que l'on le die
        268 Pour plus tost actraire confort.
            Tel se plaint et garmente fort
            Qui n'a pas les plus aspres deulx,

166

Et s'amours greve tant, au fort
²⁷² Mieulx en vault un dolent que deux.

XXXV   *L'Amant*
Helas, ma dame! Il vault trop mieulx,
Pour courtoisie et bonté faire,
D'un dolent faire deux joyeux
²⁷⁶ Que le dolent du tout deffaire.
Je n'ay desir në autre affaire
Fors que mon service vous plaise
Pour eschanger, sans riens meffaire,
²⁸⁰ Deux plaisirs ou lieu d'un mesaise.

XXXVI   *La Dame*
D'amours ne quier courroux n'aysance,
Ne grant espoir ne grant desir;
Et si n'ay de voz maulx plaisance
²⁸⁴ Ne regart a voustre plaisir.
Choisisse qui vouldra choisir.
Je suis france et france vueil estre,
Sans moy de mon cuer dessaisir
²⁸⁸ Pour en faire un autre le maistre.

XXXVII   *L'Amant*
Amours, qui joie et dueil depart,
Mist les dames hors de servaige
Et leur ordonna pour leur part
²⁹² Maistrise et franc seigneurïage.
Les servans n'y ont d'aventage
Fors tant seulement leur pourchaz;
Et qui fait une foiz l'ommage,
²⁹⁶ Bien chier en coustent les rachaz.

XXXVIII   *La Dame*
Dames ne sont mye si lourdes,
Si mal entendans ne si foles
Que, pour un peu de plaisans bourdes

167

300 Confites en belles parolles,
Dont vous autres tenés escoles
Pour leur faire croire merveilles,
Elles changent si tost leurs coles:
304 A beau parler closes oreilles.

XXXIX   *L'Amant*

Il n'est jangleur, tant y meïst
De sens, d'estudie ou de peine,
Qui si triste plainte feïst
308 Comme cellui que le mal maine.
Car qui se plaint de teste saine,
A paine sa faintise cueuvre;
Mais pensee de doleur plaine
312 Preuve ses parolles par euvre.

XL   *La Dame*

Amours est crüel losengier,
Aspre en fait et doulx a mentir,
Et se scet bien de ceulx venger
316 Qui cuident ses secrez sentir:
Il les fait a soy consentir
Par une entree de chierté;
Mais quant vient jusqu'au repentir,
320 Lors se descouvre sa fierté.

XLI   *L'Amant*

De tant plus que Dieu et Nature
Ont fait le plaisir d'amours plus hault,
Tant plus aspre en est la pointure
324 Et plus desplaisant le deffault.
Qui n'a froit n'a cure de chault;
L'un contraire est pour l'autre quis,
Et ne scet nul que plaisir vault
328 S'il ne l'a par doleur conquis.

XLII

La Dame

Plaisir n'est mie partout un;
Ce vous est doulx qui m'est amer,
Si ne pouez vous ou aucun
332 A voustre gré moy faire amer.
Nul ne se doit amy clamer
Si non par cuer ains que par livre,
Car force ne puet entamer
336 La volenté france et delivre.

XLIII

L'Amant

Haa, ma dame! Ja Dieu ne plaise
Qu'autre droit y vueille querir,
Fors de vous moustrer ma mesaise
340 Et voustre mercy requerir.
Se je tens honneur surquerir,
Dieu et Fortune me confonde
Et ne me doint ja acquerir
344 Une seule joye en ce monde.

XLIV

La Dame

Vous et autres qui ainsi jurent
Et se condempnent et maudïent,
Ne cuident que leurs sermens durent,
348 Fors tant comme les moz se dïent
Et que Dieu et les sains s'en rïent,
Car en telz sermens n'a riens ferme,
Et les chestives qui s'y fïent
352 En plourent aprés mainte lerme.

XLV

L'Amant

Cellui n'a pas courage d'omme
Qui quiert son plaisir en reprouche,
Et n'est pas digne que on le nomme
356 Ou qu'air ou terre lui atouche.
Loyal cuer et voir disant bouche
Sont le chastel d'omme parfait,

Et qui si legier sa foy couche,
360 Son honneur pour l'autruy deffait.

XLVI   *La Dame*
Vilain cuer et bouche courtoise
Ne sont mie bien d'une sorte,
Mais Faintise tost les accoyse,
364 Qui par malice les assorte.
La mesnie Faulx Semblant porte
Son honneur en sa langue fainte,
Mais honneur est en leur cuer morte
368 Sans estre plouree ne plainte.

XLVII   *L'Amant*
Qui pense mal, bien ne lui vieigne!
Dieu doint a chascun sa desserte!
Mais, pour Dieu mercy, vous souviengne
372 De la doleur que j'ay soufferte,
Car de ma mort ne de ma perte
N'a pas voustre doulceur envie;
Et se vo grace m'est ouverte,
376 Vous estes garant de ma vie.

XLVIII   *La Dame*
Legier cuer et plaisant folie,
Qui est meilleur quant plus est brieve,
Vous font celle melencolie;
380 Mais c'est un mal dont on relieve.
Faites a vos pensees trieve,
Car de plus beaux jeux on se lasse.
Je ne vous aide ne ne grieve;
384 Qui ne m'en croira, je m'en passe.

XLIX   *L'Amant*
Qui a faulcon, oisel ou chien
Qui le suit, ame, craint et doubte,
Il le tient chier et garde bien

³⁸⁸ Et ne le chace ne deboute:
Et je, qui ay m'entente toute
En vous sans faintise et sans change,
Suis rebouté plus bas qu'en soute
³⁹² Et moins prisé qu'un tout estrange.

L   *La Dame*
Se je fais bonne chiere a tous
Par honneur et de franc courage,
Je ne le vueil pas faire a vous
³⁹⁶ Pour eschever voustre dommaige;
Car Amours est si petit saige
Et de crëance si legiere
Qu'el prent tout a son avantage
⁴⁰⁰ Chose qui ne lui sert de guiere.

I   *L'Amant*
Se pour amour et fëaulté
Je pers l'acueil qu'estranges ont,
Doncq me vauldroit ma loyauté
⁴⁰⁴ Moins qu'a ceulx qui viennent et vont
Et qui de rien voustres ne sont;
Et sembleroit en vous perie
Courtoisie qui vous semont
⁴⁰⁸ Qu'amours soit par amours merie.

LII   *La Dame*
Courtoisie est si alïee
D'Onneur, qui l'aime et la tient chiere,
Qu'el ne veult estre a riens lïee
⁴¹² Ne pour devoir ne pour prïere;
Ains depart de sa bonne chiere
Ou il lui plaist et bon lui semble.
Guerredon, contrainte et renchiere
⁴¹⁶ Et elle, ne vont point ensemble.

LIII
L'Amant

Je ne quier point de guerredon,
Car le desservir m'est trop hault:
Je demande grace en pur don
420 Puis que mort ou mercy me fault.
Donner le bien ou il deffault,
C'est courtoisie raisonnable,
Mais aux siens encores plus vault
424 Qu'estre aux estranges amÿable.

LIV
La Dame

Ne say que vous appellez « bien »
Mal emprunte bien autruy nom —
Mais il est trop large du sien
428 Qui par donner pert son renom.
On ne doit faire octroy, se non
Quant la requeste est avenant,
Car se l'onneur ne retenon,
432 Trop petit est le remenant.

LV
L'Amant

Oncq homme mortel ne nasqui
Ou pourroit neistre soubz les cieulx —
Et n'est autre, fors vous — a qui
436 Voustre honneur touche plus ou mieulx
Qu'a moy, qui n'atens jeune et vieulx
Le mien fors par voustre service;
Et n'ay cuer, sens, bouche në yeulx
440 Qui soit donné a autre office.

LVI
La Dame

D'assez grant charge se chevit
Qui son honneur garde et maintient;
Mais a dangier travaille et vit
444 Qui en autruy main l'entretient.
Cil a qui l'onneur appartient
Ne s'en doit a autruy actendre;

Car tant moins du sien en retient
448 Qui trop veult a l'autrui entendre.

LVII   *L'Amant*
Voz yeulx ont si empraint leur merche
En mon cuer que, quoy qu'il avieigne,
Se j'ay honneur ou je le serche,
452 Il convient que de vous me vieigne.
Fortune a voulu que je tieigne
Ma vie en voustre mercy close,
Si est bien droit qu'il me souveigne
456 De voustre honneur sur toute chose.

LVIII   *La Dame*
A voustre honneur seul entendez
Pour voustre temps mieulx employer:
Du mien a moy vous atendez
460 Sans prendre peine a foloyer.
Bon fait vaincre et assouployer
Un cuer folement deceü,
Car rompre vault pis que ployer
464 Et esbranlé mieulx que cheü.

LIX   *L'Amant*
Pensés, ma dame, que depuis
Qu'Amours mon cuer vous delivra,
Il ne pourroit – ne je ne puis –
468 Estre autre tant com il vivra.
Tout quicte et franc le vous livra;
Ce don ne se puet abolir.
J'actens ce qui s'en ensuivra;
472 Je n'y puis mectre ne tollir.

LX   *La Dame*
Je ne tien mie pour donné
Ce qu'on offre a qui ne le prent,
Car le don est abandonné

[476] Se le donneur ne le reprent.
Trop a de cuers qui entreprent
D'en donner a qui les reffuse,
Mais il est sage qui aprent
[480] A s'en rectraire qu'il n'y muse.

LXI
L'Amant
Il ne doit pas cuider muser
Qui sert dame de si hault pris;
Et se je y doy mon temps user,
[484] Au moins n'en puis je estre repris
De cuer failli ne de mespris
Quant envers vous fais ceste queste,
Par qui Amours a entrepris
[488] De tant de bons cuers la conqueste.

LXII
La Dame
Se mon conseil voulez oïr,
Querez ailleurs plus belle et gente
Qui d'amours se vueille esjouïr
[492] Et mieulx sortisse a voustre entente.
Trop loing de confort se tourmente
Qui a par soy pour deux se trouble,
Et cellui pert le jeu d'actente
[496] Qui ne scet faire son point double.

LXIII
L'Amant
Le conseil que vous me donnez
Se puet mieulx dire qu'exploicter.
Du non croire me pardonnez,
[500] Car j'ay cuer tel et si entier
Qu'il ne se pourroit affaictier
A chose ou Loyauté n'acorde;
N'autre conseil ne m'a mestier
[504] Fors pitié et misericorde.

LXIV   *La Dame*
          Saige est qui folie encommence
          Quant deppartir s'en scet et veult;
          Mais il a faulte de scïence
    508   Qui la veult conduire et ne puet.
          Qui par conseil ne se desmeut,
          Desespoir se met de sa suite;
          Et tout le bien qu'il en requeult,
    512   C'est de mourir en la poursuite.

LXV   *L'Amant*
          Je poursuivray tant que pourray
          Et que vie me durera,
          Et lors qu'en loyauté mourray,
    516   Celle mort ne me grevera;
          Mais quant vo durté me fera
          Mourir loyal et doloreux,
          Encores moins gref me sera
    520   Que de vivre faulx amoureux.

LXVI   *La Dame*
          De riens a moy ne vous prenez.
          Je ne vous suis aspre ne dure
          Et n'est droit que vous me tenez
    524   Envers vous ne doulce ne sure.
          Qui se quiert le mal si l'endure!
          Autre confort donner n'y say
          Ne de l'aprendre n'ay je cure:
    528   Qui en veult en face l'essay.

LXVII   *L'Amant*
          Une foiz le fault essayer
          A tous les bons en leur endroit
          Et le devoir d'Amours payer,
    532   Qui sur frans cuers a prise et droit,
          Car Franc Vouloir maintient et croit
          Que c'est durté et mesprison

Tenir un hault cuer si estroit
536 Qu'il n'ait q'un seul corps pour prison.

LXVIII   *La Dame*
J'en say tant de cas merveilleux
Qu'il me doit assez souvenir
Que l'entrer en est perilleux
540 Et encor plus le revenir.
A tart en puet bien avenir:
Pour ce n'ay vouloir de cerchier
Un mal plaisant au mieulx venir,
544 Dont l'essay peut couster si chier.

LXIX   *L'Amant*
Vous n'avez cause de doubter
Ne suspeçon qui vous esmeuve
A m'esloingnier ne rebouter,
548 Car voustre bonté voit et treuve
Que j'ay fait l'essay et la prouve
Par quoy ma loyauté apert.
La longue actente et forte espreuve
552 Ne se peut celer: il y pert.

LXX   *La Dame*
Il se puet loyal appeller –
Et son nom lui duit et affiert –
Qui scet desservir et celer
556 Et garder le bien s'il l'acquiert.
Qui encor poursuit et requiert
N'a pas loyauté esprouvee,
Car tel pourchace grace et quiert
560 Qui la pert puis qu'il l'a trouvee.

LXXI   *L'Amant*
Se ma loyauté s'esvertue
D'amer ce qui ne m'ayme mie
Et tant cherir ce qui me tue

176

⁵⁶⁴ Et m'est amoureuse ennemie,
Quant Pitié qui est endormie
Mectroit en mes maulx fin et terme,
Ce gracïeux confort d'amie
⁵⁶⁸ Feroit ma loyauté plus ferme.

LXXII   *La Dame*
Un douloureux pense tousdis
Des plus joyeux le droit revers,
Et le penser du maladis
⁵⁷² Est entre les sains tout divers.
Assez est il de cuers travers
Qu'avoir bien fait toust empirer
Et loyauté mectre a l'envers,
⁵⁷⁶ Dont ilz soloient souspirer.

LXXIII   *L'Amant*
De tous soit cellui deguerpis,
D'onneur desgradé et deffait,
Qui descongnoist et tourne en pis
⁵⁸⁰ Le don de grace et le bienfait
De sa dame qui l'a reffait
Et ramené de mort a vie!
Qui se souille de tel meffait
⁵⁸⁴ A plus d'une mort desservie.

LXXIV   *La Dame*
Sur tel meffait n'a court ne juge
A qui on puisse recourir.
L'un les maudit, l'autre les juge,
⁵⁸⁸ Mais je n'en ay veu nul mourir.
On leur laisse leur cours courir
Et commencier pis de rechief,
Et tristes dames encourir
⁵⁹² D'autrui coulpe, peine et meschief.

LXXV   *L'Amant*
            Combien qu'on n'ardë ou ne pende
            Cellui qui en tel crime enchiet,
            Je suis certain, quoy qu'il actende,
      596   Qu'en la fin il lui en meschiet
            Et qu'onneur et bien lui dechiet,
            Car Faulceté est si maudite
            Que jamais hault honneur ne chiet
      600   Dessus cellui ou elle habite.

LXXVI   *La Dame*
            De ce n'ont mie grant peür
            Ceulx qui dïent et qui maintiennent
            Que loyauté n'est pas eür
      604   A ceulx qui longuement la tiennent.
            Leurs cuers s'en vont et puis reviennent,
            Car ils les ont bien reclamez
            Et si bien apris qu'ilz retiennent
      608   A changer des qu'ilz sont amez.

LXXVII   *L'Amant*
            Quant on a son cuer bien assis
            En bonne et loyale partie,
            Il doit estre entier et rassis
      612   A tousjours mais sans departie.
            Si tost qu'amours est mypartie,
            Tout le hault plaisir en est hors;
            Si ne sera par moy partie,
      616   Tant que l'ame me bate ou corps.

LXXVIII   *La Dame*
            D'amer bien ce qu'amer devez
            Ne pourrïez vous pas mesprendre;
            Mais, s'en devoir vous decevez
      620   Par legierement entreprendre,
            Vous mesmes vous pouez reprendre
            Et avoir a raison recours,

178

Plus tost qu'en foul espoir actendre
624 Un tresdesesperé secours.

LXXIX   *L'Amant*
Raison, Advis, Conseil et Sens
Sont soubz l'arrest d'Amours seellez.
A tel arrest je me consens
628 Car nul d'eulx ne s'est rebellés.
Ilz sont parmy Desir meslez
Et si fort enlaciez, helas,
Que ja n'en seray desmeslez
632 Se Pitié ne brise les las.

LXXX   *La Dame*
Qui n'a a soy mesme amitié
De toute amour est deffïez;
Et se de vous n'avez pitié,
636 D'autruy pitié ne vous fïez.
Mais soyez tous certiffïez
Que je suis celle que je fus;
D'avoir mieulx ne vous affïez
640 Et prenez en gré le reffus.

LXXXI   *L'Amant*
J'ay mon esperance fermee
Qu'en tel dame ne doit faillir
Pitié, mais elle est enfermee
644 Et laisse Dangier m'assaillir;
Et s'el voit ma vertu faillir
Pour bien amer, el s'en sauldra.
Lors sa demeure et tart saillir
648 Et mon bien souffrir me vauldra.

LXXXII   *La Dame*
Ostez vous hors de ce propos
Car, tant plus vous vous y tendrez,
Moins avrez joyë et repos

652 Et jamais a bout n'en vendrez.
Quant a Espoir vous actendrez,
Vous en trouverez abestiz,
Et en la fin vous aprendrez
656 Qu'Esperance paist les chestiz.

LXXXIII   *L'Amant*
Vous direz ce que vous vouldrés –
Et du pouoir avez assez –
Mais ja Espoir ne m'en touldrez,
660 Par qui j'ay tant de maulx passez,
Car, quant Nature a enchassez
En vous des biens a tel effors,
El ne les a pas amassez
664 Pour en mectre Pitié dehors.

LXXXIV   *La Dame*
Pitié doit estre raisonnable
Et a nul desavantageuse,
Aux besoingneux tresprouffitable
668 Et aux piteux non domageuse.
Se dame est a autruy piteuse
Pour estre a soy mesmes crüelle,
Sa pitié devient despiteuse
672 Et son amour hayne mortelle.

LXXXV   *L'Amant*
Conforter les desconfortez
N'est pas crüaulté, ains est los;
Mais vous, qui si dur cuer portez
676 En si beau corps, se dire l'os,
Gaingnez le blasme et le deslos
De crüaulté qui mal y siet,
Se Pitié qui depart les los
680 En voustre hault cuer ne s'assiet.

180

LXXXVI
La Dame

Qui me dit que je suis amee,
Se bien croire je l'en vouloye,
Me doit il tenir pour blamee
684 S'a son vouloir je ne foloye?
Se de telz confors me mesloye,
Ce seroit pitié sans maniere;
Et depuis se je m'en doloye,
688 C'en est la soulde derreniere.

LXXXVII
L'Amant

Ha, cuer plus dur que le noir marbre
En qui Mercy ne puet entrer,
Plus fort a ployer q'un gros arbre,
692 Que vous vault tel rigueur moustrer?
Vous plaist il mieulx me veoir oultrer
Mort devant vous pour voustre esbat,
Que pour un confort demoustrer
696 Respitier la mort qui m'abat?

LXXXVIII
La Dame

De voz maulx guerir vous pourrez
Car des miens ne vous requerray;
Ne par mon plaisir ne mourrez,
700 Ne pour vous guerir ne gerray.
Mon cuer pour autruy ne herray,
Crïent, pleurent, rïent ou chantent;
Mais, se je puis, je pourverray
704 Que vous në autres ne s'en vantent.

LXXXIX
L'Amant

Je ne suis mie bon chanteur –
Aussi me duit mieulx le plourer –
Mais je ne fu oncques vanteur:
708 J'ayme plus tost coy demourer.
Nul ne se doit enamourer
S'il n'a cuer de celer l'emprise,

Car vanteur n'est a honnorer
712 Puis que sa langue le desprise.

XC   *La Dame*
Male Bouche tient bien grant court:
Chascun a mesdire estudie;
Faulx amoureux au temps qui court
716 Servent tous de goulïardye.
Le plus secret veult bien qu'on die
Qu'il est d'aucune mescreüz,
Et pour riens qu'omme a dame die
720 Il ne doit plus estre creüz.

XCI   *L'Amant*
D'uns et d'autres est et sera;
La terre n'est pas toute onnye.
Des bons le bien se moustrera
724 Et des mauvais la vilonnye.
Est ce droit, s'aucuns ont honnie
Leur langue en mesdit eshonté,
Que Reffus en excommenie
728 Les bons avecques leur bonté?

XCII   *La Dame*
Quant meschans fol parler eüssent,
Ce mechief seroit pardonnez;
Mais ceulx qui mieulx faire deüssent
732 Et que Noblece a ordonnez
D'estre bien condicïonnez,
Sont les plus avant en la fengue
Et ont leurs cueurs abandonnez
736 A courte foy et longue langue.

XCIII   *L'Amant*
Or congnois je bien orendroit
Que pour bien faire on est onniz,
Puis que Pitié, Justice et Droit

⁷⁴⁰ Sont de cuer de dame banniz.
Fault il doncq faire touz onniz
Les humbles servans et les faulx,
Et que les bons soient puniz
⁷⁴⁴ Pour le pechié des desloyaulx?

XCIV   *La Dame*
Je n'ay le pouoir de grever
Ne de punir autre ne vous,
Mais pour les mauvais eschever
⁷⁴⁸ Il se fait bon garder de tous.
Faulx Semblant fait l'umble et le doulx
Pour prendre dames en aguet,
Et pour ce chascune de nous
⁷⁵² Y doit bien l'escute et le guet.

XCV   *L'Amant*
Puis que de grace un tout seul mot
De voustre rigoreux cuer n'ist,
J'appelle devant Dieu qui m'ot
⁷⁵⁶ De la durté qui me honnist;
Et me plaing qu'Il ne parfournist
Pitié, qu'en vous Il oublïa,
Ou que ma vie ne fenist
⁷⁶⁰ Que si tost mis en oubly a.

XCVI   *La Dame*
Mon cuer et moy ne vous feïsmes
Oncq rien dont plaindre vous doyez.
Riens ne vous nuist fors vous meïsmes;
⁷⁶⁴ De vous mesme juge soyez.
Une foiz pour toutes croyez
Que vous demourrés escondit.
De tant redire m'ennoyez,
⁷⁶⁸ Car je vous en ay assez dit.

183

XCVII   *L'Acteur*

Adont le dolent se leva
Et part de la feste plourant.
A peu que son cuer ne creva
⁷⁷² Comme a homme qui va mourant,
Et dist: « Mort, vien a moy courant
Ains que mon sens se descongnoisse,
Et m'abrege le demourant
⁷⁷⁶ De ma vie plaine d'engoisse ».

XCVIII   *Item l'Acteur*

Depuis je ne sceu qu'il devint
Ne quel part il se transporta;
Mais a sa dame n'en souvint
⁷⁸⁰ Qui aux dances se deporta.
Et depuis on me rapporta
Qu'il avoit ses cheveux desroux,
Et que tant se desconforta
⁷⁸⁴ Qu'il en estoit mort de courroux.

XCIX   *Item l'Acteur*

Si vous pri, amoureux, fuyez
Ces vanteurs et ces mesdisans;
Et comme infames les huyez,
⁷⁸⁸ Car ilz sont a voz faiz nuysans.
Pour non les faire voir disans,
Reffus a ses chasteaulx bastiz,
Car ilz ont trop mis puis dix ans
⁷⁹² Le païs d'Amours a pastiz.

C   *Item l'Acteur*

Et vous, dames et damoiselles
En qui Honneur naist et asemble,
Ne soyés mie si crüelles,
⁷⁹⁶ Chascune ne toutes ensemble.
Que ja nulle de vous ressemble
Celle que m'oyez nommer cy,
Qu'on appellera, ce me semble,
⁸⁰⁰ La belle dame sans mercy!

Explicit.

COPPIE DES LECTRES
ENVOYEES PAR LES DAMES A ALAIN

Honnouré frere, nous nous recommandons a vous et vous faisons savoir que nagaires par aucuns a esté baillie aux dames certaine requeste qui grandement touche voustre honneur et le desavancement du tres-gracieux los et bonne grace que vous avez tousjours acquis vers elles. Et pour ce que nous vous cuidons tel que bien vous savrez excuser et deffendre de ceste charge quant vous en serez adverti, nous vous envoions le double, esperans que vous mectrez peine a vous geter hors de ce blasme a voustre honneur et a l'esjouissement de ceulx qui plus volentiers verroient voustre los croistre que amendrir. Et comme escript vous a esté par autres lectres de voz amis, journee est assignee au premier jour d'avril a vous et a voz parties adverses, auquel jour vous pensons veoir se vous n'estez mort ou pris, dont Dieu vous gart, laquelle chose vous doubteriez moins que de demourer en ceste charge. Honnouré frere, Noustre Sire vous doint autant de joye comme nous vouldrions et brief retour-ner, car se vous estiez par de ça, tel parle contre vous qui se tairoit. Escript a Yssouldun, le derrenier jour de janvier.

Et en la marge de dessoubz estoit escript:

Les voustres, Katherine, Marie et Jehanne.

COPPIE DE LA REQUESTE BAILLEE
AUX DAMES CONTRE ALAIN

Supplient humblement voz loyaulx serviteurs, les actendans de voustre tresdoulce grace et poursuivans la queste du don d'amoureuse mercy, comme ilz ayent donné leur cuer a penser, leur corps a travaillier, leur vouloir a desirer, leur bouche a requerir, leur temps a pourchacer le riche don de pitié que Dangier, Reffus et Crainte ont embuché et retrait en la gaste forest de Longue Actente, et ne leur soit demouré compaignie ne conduit qui ne les ait laissiez en la poursuite fors seulement Bon Espoir, qui encores demeure souvent derriere lassé et travaillé du long chemin et de la tresennuyeuse queste; et que en un pas qui se nomme Dure Response ont esté plusieurs foiz destroussez de Joye et desers de Leece par les brigans et souldoyers de Reffus, et neantmoins entretiennent tousjours leur queste pour y mectre la vie et le cuer qui leur est demouré, mais que Espoir ne les laisse au besoing; et encores avroient actente de voustre secours et que Bel Acueil et Doulx Actrait les remeissent sus, se ne fust qu'il est venu a leur congnoissance que aucuns ont escript en vers rimés certaines nouvelletez ou ils n'ont gueres pensé. Et puet estre que Envye, rebutement d'amours ou faulte de cuer qui les a fait demourer recreuz en chemin et laissier la queste qu'ilz avoient encommenciee avecques nous les fait ainsi parler et escrire. Et ont tant fait, comme l'on dit, pour destourner aux autres la joye a quoy ilz ont failli que leurs escriptz sont venuz en voz mains et, pour l'actrait d'aucunes parolles doulces qui sont dedans, vous ont amusees a lire leur livre que on appelle *la Belle Dame sans mercy*, ouquel, soubz un langaige afaictié, sont enclos les commencements et ouvertures de mectre rumeur en la court amoureuse et rompre la queste des humbles servans et a vous tolir l'eureux nom de pitié qui est le parement et la richesse de voz autres vertuz. Et en aviendra dommage et esloingnement aux humbles servans et amandrissement de voustre pouoir se par vous n'y est pourveu. Qu'il vous plaise de voustre grace destourner vos yeulx de lire si desraisonnables escriptures et n'y donner foy ne audience, mais les faire rompre et casser partout ou trouver se pourront et des faiseurs ordonner telle punicion que ce soit exemple aux autres, et que voz humbles servans puissent leur queste parfaire a voustre honneur et a leur joye, et moustrer par euvres qu'en vous a mercy et pitié. Et ilz prieront Amours qu'il vous doint tousjours tant de leece que aux autres en puissez repartir.

L'EXCUSACION AUX DAMES

I
L'Acteur
Mes dames et mes damoiselles,
Se Dieu vous doint joye prouchaine,
Escoutés les durez nouvelles
⁴ Que j'ouÿ le jour de l'estraine.
Et entendez ce qui me maine,
Car je n'ay fors a vous recours;
Et me donnez par grace plaine
⁸ Conseil, confort, aide et secours.

II
Item l'Acteur
Ce jour m'avint en sommeillant,
Actendant le soleil levant,
Moitié dormant, moitié veillant,
¹² Environ l'aube ou peu avant,
Qu'Amours s'apparut au devant
De mon lit a l'arc tout tendu,
Et me dist: « Desloyal servant,
¹⁶ Ton loyer te sera rendu.

III
Le Dieu d'Amours
Je t'ay long temps tenu des miens
A l'eure que bien me servoyes,
Et te gardoye de grans biens
²⁰ Trop plus que tu ne desservoyes;

Et quant ta loyauté devoyes
Vers moy garder en tous endroiz,
Tu fais et escriz et envoyes
24 Nouveaulx livres contre mes droiz.

IV   Es tu foul, hors du sens ou yvre,
Ou veulx contre moy guerre prendre
Qui as fait le maleureux livre,
28 Dont chascun te devroit reprendre,
Pour enseigner et pour aprendre
Les dames a geter au loing
Pitié la debonnaire et tendre,
32 De qui tout le monde a besoing?

V   Se tu as ta merencolie
Prise de non amer jamais,
Doivent achater ta folie
36 Les autres qui n'en pevent mais?
Laisse faire autruy et te tais!
Que de dueil ait le cuer nercy
Qui ja croira, comme tu fais,
40 Qu'oncques dame fust sans mercy!

VI   Tu mourras de ce peché quicte;
Et se briefment ne t'en desdiz,
Prescher te feray comme herite
44 Et bruler ton livre et tes diz.
En la loy d'Amours sont maudiz,
Et chascun m'en fait les clamours.
Les lire est a tous interdiz
48 De par l'inquisiteur d'Amours.

VII   Tu veulx mon pouoir abolir
Et qu'onneur et bonté s'efface,
Quant tu quiers des dames tolir
52 Pitié, mercy, doulceur et grace.
Cuides tu doncques que Dieu face

Entre les hommes sur la terre
Si beau corps et si doulce face
56 Pour leur porter rigueur et guerre?

VIII   Nenny non, Il n'y pensa oncques,
Car ja faites ne les eüst
Plus plaisans que chose quelconques
60 Que sur terre faire deüst,
S'Il ne veïst bien et sceüst
Qu'elles doivent l'eür porter,
Qui par droit les hommes deüst
64 Resjouïr et resconforter.

IX   Ne seroit ce pas grant dommaige
Que Dieu, qui soustient homme en vie,
Eust faite si perfaite ymage
68 Par droite excellence assouvie,
Que la pensee en fust ravie
Des hommes par force de plaire...
Se Dieu leur portoit telle envie
72 Qu'Il leur donnast pour adversaire?

X   Cuides tu faire basiliques,
Qui occïent les gens des yeulx,
Ces doulx visages angeliques
76 Qui semblent estre faiz es cieulx?
Ilz ne furent pas formez tieulx
Pour desdaingner et nonchaloir,
Mais pour croistre de bien en mieulx
80 Ceulx qui ont desir de valoir.

XI   Doulceur, courtoisie, amitié
Sont les vertuz de noble femme,
Et le droit logeis de Pitié
84 Est ou cuer d'une belle dame.
S'il failloit par ton livre infame
Pitié d'entre dames bannir,

Autant vauldroit qu'il ne fust ame
88 Et que le monde deust finir.

XII   Puis que Nature s'entremist
        D'entailler si digne figure,
        Il est a croire qu'elle y mist
92 De ses biens a comble mesure.
        Dangier y est soubz couverture;
        Mais Nature la tresbenigne,
        Pour adoulcir celle pointure,
96 Y mist Pitié pour medicine.

XIII   Pour garder honneur et chierté,
        Raison y mist Honte et Dangier,
        Et volut Desdaing et Fierté
100 Du tout des dames estrangier;
        Mais Pitié y puet chalengier
        Tout son droit car, quant el fauldroit,
        El feroit la bonté changier,
104 Puis que nulli mieulx n'en vaudroit.

XIV   Tu veulx, par ton oultrecuidance
        Et les faulx vers que tu as faiz,
        Tolir aux dames leur puissance,
108 Toutes vertuz et tous bienffaiz,
        Quant ainsi leur pitié deffaiz,
        Par qui maint loyal cuer s'amende;
        Si vueil chastïer tes meffaiz
112 Ou que tu m'engages l'amende. »

XV   *L'Acteur*
        Quant j'euz ces parolles ouÿ
        Et je vi la fleche en la corde,
        Tout le sanc au cuer me fouÿ.
116 Oncq n'eu tel paeur dont me recorde,
        Et dis: « Pour Dieu misericorde,
        Escoutez moy excuser, sire ».

Il respondi: « Je le t'acorde.
120 Or dy ce que tu vouldras dire ».

XVI   *L'Acteur*
         « Ha, sire, ne me mescroiez
         Ne les dames semblablement,
         Se vous ne lisez et voyez
     124 Tout le livret premierement.
         Je suis aux dames ligement,
         Car ce peu qu'oncques j'euz de bien,
         D'onneur ou de bon sentement,
     128 Vient d'elles et d'elles le tien.

XVII   Avant que faire ceste faulte
         Mon cuer choisiroit qu'il mourroit.
         La folie seroit si haulte
     132 Que ja nul ne le pardonroit.
         Bien est vil cellui qui vourroit
         A l'onneur des dames meffaire,
         Sans lesquelles nul ne pourroit
     136 Jamais bien dire ne bien faire.

XVIII   Par elles et pour elles sommes:
         C'est la sourse de noustre joye;
         C'est l'espargne des nobles hommes;
     140 C'est d'onneur la droite monjoye;
         C'est le penser qui plus resjoye;
         C'est le chief des mondains plaisirs;
         C'est ce qui d'espoir nous pourvoye;
     144 C'est le comble de noz desirs.

XIX   Leur serviteur vueil demourer
         Et en leur service mourray,
         Et ne les puis trop honnourer
     148 N'autrement ja ne le vourray;
         Ains, tant qu'en vie demourray,

A garder l'onneur qui leur touche
Employeray ou je pourray
152 Corps, cuer, sens, langue, plume et bouche.

XX   Pitié en cuer de dame siet
Ainsi qu'en l'or le dÿamant,
Mais sa vertu pas ne s'assiet
156 Tousjours au plaisir de l'amant;
Ains fault deffermer un ferment
Dont Crainte tient Pitié enclose
Et, en ce fermouer deffermant,
160 Souffrir sa douleur une pose.

XXI   Pitié se tient close et couverte
Et ne veult force ne contraintes,
Ne ja sa porte n'est ouverte
164 Fors par souspirs et longues plaintes.
Actendre y fault des heures maintes,
Mais l'actente bien se recueuvre,
Car toutes dolours sont estaintes
168 Aussi tost que sa porte s'euvre.

XXII   S'el ne gardoit sa seigneurie,
Chascun lui feroit l'ennuyeux;
Et sa bonté seroit perie,
172 Car el avroit trop d'envïeux.
Pour ce son tresor gracïeux
N'euvre pas a toutes requestes,
Neant plus qu'un joyau precïeux
176 Qu'on ne doit moustrer qu'aux grans festes.

XXIII   Se j'osoye dire ou songier
Qu'onques dame fust despiteuse,
Je seroye faulx mensongier
180 Et ma parole injurïeuse.
Jamais de dame gracïeuse
N'ait il ne mercy ne respit,

Qui dit de voix presumpcïeuse
¹⁸⁴ Qu'en dame ait orgueil ne despit.

XXIV   Comme la rose tourne en lermes
Au forneau sa force et valeur,
Ainsi rent Pitié aux enfermes,
¹⁸⁸ Par feu d'amoureuse chaleur,
Pleurs qui gairissent la doleur,
Tant est leur haulte vertu digne;
Mais au cuer gist la pitié leur
¹⁹² Plus parfont que l'or en la mine.

XXV   Mon livre, qui peu vault et monte,
A nesune autre fin ne tent
Si non a recorder le compte
¹⁹⁶ D'un triste amoureux mal content
Qui prie et plaint que trop atent,
Et comme Reffus le reboute;
Et qui autre chose y entent,
²⁰⁰ Il y voit trop ou n'y voit goute.

XXVI   Quant un amant est si estraint,
Comme en resverie mortelle,
Que force de mal le contraint
²⁰⁴ D'appeller sa dame crüelle,
Doit on penser qu'elle soit telle?
Nenny, car le grief mal d'amer
Y met fievre continüelle
²⁰⁸ Qui fait sembler le doux amer.

XXVII   Puis que son mal lui a fait dire,
Et aprés lui pour temps passer
J'ay voulu ses plaintes escrire
²¹² Sans un seul mot en trespasser,
S'en doit tout le monde amasser
Contre moy a tort et en vain,
Pour le chestif livre casser
²¹⁶ Dont je ne suis que l'escripvain?

XXVIII   S'aucuns me veulent acuser
D'avoir ou failli ou mespris,
Devant vous m'en vueil excuser,
220 Que j'ay pieça pour juge pris;
Et, combien que j'ay peu apris,
S'ilz en ont rien dit ou escript
Par quoy je puisse estre repris,
224 Je leur respondray par escript. »

XXIX   Quant Amours ot ouÿ mon cas
Et vit qu'a bonne fin tendi,
Il remist la flece ou carcas
228 Et l'arc amoureux destendy,
Et tel response me rendy:

Amours

Puis qu'a ma court tu te reclames,
J'en suis content et tant t'en dy
232 Que j'en remet la cause aux dames.

XXX   *L'Acteur*
Lors m'esveillay subit et court
Et plus entour moy riens ne vy.
Pour ce me rens a voustre court,
236 Mes dames, et la foy plevy
D'obeïr a droit sans envy,
Ainsi qu'Amours l'a commandé;
Et se je n'ay mal desservy,
240 Ayez moy pour recommandé.

Voustre humble serviteur Alain
Que Beauté print pieça a l'aim
Du trait d'uns tresdoux rïans yeulx,
244 Dont il languist, actendant mieulx.

LE BREVIAIRE DES NOBLES

I
Noblesce
Je, Noblesce, dame de bon vouloir,
Royne des preux, princesse des haulx faiz,
A tous qui ont volenté de valoir
⁴ Paix et salut par moy savoir vous faiz.
Que, pour oster les maulx et les torfaiz
Que Vilennie a entreprins de faire,
Chascun de vous s'il veult estre refaiz
⁸ *Ses heures die en cestui breviaire!*

Je me doy bien de plusieurs gens douloir
Qui ont du tout mes estaz contrefaiz,
Et en mettant vertu en nonchaloir,
¹² Prennent mon nom et laissent mes bienffaiz,
Et ont leurs cuers avilez et deffaiz
Et enclinez a mesdire et meffaire;
Mais qui vouldra pardon de ses meffaiz,
¹⁶ *Ses heures die en cestui breviaire.*

Qui est des bons le successeur ou l'oir
Ne doit avoir la terre sans le faiz,
Et s'il n'est duit a bien faire et vouloir,
²⁰ Les biens d'autruy sont en lui imparfaiz;
Ains a du tout los et honneur forfaiz
Quant il n'ensuit des nobles l'exemplaire,

Et s'aucun s'est en cest endroit meffaiz,
24 *Ses heures die en cestui breviaire.*

Pour entendre comme nobles sont faiz
Douze vertuz monstrent cy leur affaire;
Doncques qui veult estre noble parfaiz
28 *Ses heures die en cestui breviaire.*

II   *Foy*
Dieu tout puissant, de qui Noblesce vient
Et dont descent toute perfeccïon,
A tout crëé, tout nourrit, tout soustient
32 Par sa haulte digne provisïon;
Mais, pour tenir la terre en unïon,
A ordonné chascun en son office:
Ly un seigneur, l'autre en subjectïon
36 *Pour Foy garder et pour vivre en justice.*

Et qui de Dieu le plus hault honneur tient
Par seigneurie ou dominacïon,
Plus est tenu et plus lui appartient
40 D'avoir en lui entiere affectïon,
Crainte et honneur, bonne devocïon
Et vergoigne de meffait et de vice,
Et faire tout en bonne entencïon
44 *Pour Foy garder et pour vivre en justice.*

Cil est nobles et pour tel se maintient,
Sans vanterie et sans decepcïon,
Qui envers Dieu obeïssant se tient
48 Et fait le droit de sa professïon.
Qui quiert Noblesce en autre oppinïon,
Fait a Dieu tort et au sang prejudice,
Car Dieu forma noble condicïon
52 *Pour Foy garder et pour vivre en justice.*

Povre et riche meurt en corrupcïon,
Noble et commun doivent a Dieu service;

Mais les nobles ont exaltacïon
56 *Pour Foy garder et pour vivre en justice.*

III   *Loyaulté*
Pourquoy furent les nobles ordonnez
Et establiz seigneurs sur les menuz,
Et leur furent les haulx honneurs donnez
60 Et hommages qui d'eulx sont attenuz?
Ilz ne sont pas si treshault advenuz
Pour rappiner et par leur force prendre;
Mais sont de droit et par raison tenuz
64 *Servir leur roy et leurs subgez deffendre.*

Et quant plus sont de honneur guerredonnez
Et a plus grant dignité parvenuz,
Doivent estre mieulx conditïonnez
68 Et tous leurs faiz en raison maintenuz,
Leurs cuers fermes, leurs diz entretenuz,
Ne faire tort a plus grant në a mendre,
Car ilz doivent, sans varïer pour nulz,
72 *Servir leur roy et leurs subgez deffendre.*

S'ilz varïent, s'ilz sont desordonnez
Et leurs subgiez ne sont d'eulx soustenuz,
Ou se leur roy est d'eulx abandonnez
76 Par lascheté qui les a detenuz,
Je di qu'ilz sont plus villains devenuz
Que un bon bouvier qui sa rente vient rendre
Et qui paie pour ceulx qui sont venuz
80 *Servir leur roy et leurs subgez deffendre.*

En Noblesce sont les droiz contenuz
De Loyaulté, ou ceulx doivent entendre,
Qui ces deux poins ont par cuer retenuz:
84 *Servir leur roy et leurs subgez deffendre.*

Hault Honneur est le tresor de Noblesce,
Son espergne, sa privee richesce,
Et ce que un cuer noble doit desirer:
88 Son seurconduit, sa guide et son adresce,
Son reconfort, son plaisir, sa lÿesce,
Et le mirouer ou il se doit mirer.
Rien ne pourroit un bon cuer empirer
92 S'il ayme Honneur, ne jamais n'ara honte,
Car c'est le bien qui les autres seurmonte.

Qui n'a Honneur, tost dechiet sa haultesce,
Bon los perit, renommee le lesse,
96 Et mespris fait son pouoir descirer.
Ou Honneur fault, pert son nom Gentilesce,
Car vergoigne, vilennie ou rudesce
Font cuer gentil fremir et souspirer.
100 On ne peut plus un bon cuer aÿrer
Qu'enfraindre Honneur qui l'omme a vertu
                                    [dompte,
Car c'est le bien qui les autres seurmonte.

Ou Honneur est, tort et injure cesse;
104 C'est le chemin pour venir a proesce
Qui fait les bons a hault estat tirer
Et met en eulx atrempee lÿesce,
Courtois parler et loyale promesse,
108 Sans varïer, chanceller ne virer.
Trop mieulx vauldroit soy souffrir martirer
Que avarice sus l'onneur d'omme monte,
Car c'est le bien qui les autres seurmonte.

112 Nobles hommes, tenez en plus grant compte,
Car c'est le bien qui les autres seurmonte.

V   *Droitture*
Raison, equité, mesure,
Loy, Droitture

¹¹⁶ Font les puissances durer;
Et honneste nourreture,
Par nature,
Fait bon cuer amesurer
¹²⁰ Et tout meffait forjurer,
Et jurer
De garder en son endroit
A chascun son loyal droit.

¹²⁴ Pour ce ne doit faire injure
Ne laidure,
N'en torfait s'aventurer,
Toute noble crëature
¹²⁸ Dont la cure
Doit estre a droit mesurer.
Mieulx vault son cuer adurer
D'endurer
¹³² Que tollir, car Dieu rendroit
A chascun son loyal droit.

Noble homme se desnature
Et procure
¹³⁶ A son sang deffigurer,
Qui s'arme en querelle obscure,
Faulse et sure,
Pour pratique procurer:
¹⁴⁰ C'est le serment parjurer.
Forjurer
Justice, qui rent tout droit
A chascun son loyal droit!

¹⁴⁴ Ne faisons pas murmurer,
Conjurer;
Et n'ostons plus orendroit
A chascun son loyal droit.

148 Proesce fait aux nobles assavoir,
   Qui ont le cuer de suyvre sa banniere,
   Que nul ne peut par elle pris avoir
   N'estre receu a sa grant court plenniere
152 S'il n'a en soy trop plus fait que maniere,
   Sens pour choisir bon parti justement
   Et, a l'exploit, conduite et hardement,
   Ferme propos et arresté courage,
156 Diligence, secret et peu langage;
   Et qu'en l'estour rien fors Dieu ne ressoigne,
   Mais choisisse, comme pour avantage,
   Honneste mort plus que vivre en vergoigne.

160 Bon renon est son tresor, son avoir
   Et la chose que Proesce a plus chiere,
   Ne ja homme n'y fera bien devoir,
   Qui en armes quiert praie la premiere,
164 Car Couvoitise est tousjours coustumiere
   D'amer honneur assez escharcement
   Et tout a coup par son aveuglement
   Entrerompre l'ordre de bon ouvrage.
168 L'onneur lesse, qui entent au pillage
   Et pour prouffit pert soy et sa besoigne,
   Dont par aprés regrete a grief dommage
   Honneste mort plus que vivre en vergoigne.

172 Elle ne veult nul servant recevoir,
   Qui par long trait a travail ne l'acquiere;
   Et se tu veulx les siens appercevoir,
   Ilz n'ont souvent teste ne main entiere.
176 Doulce aux foulez est elle et aux fiers fiere,
   Et aux simples ne fait empeschement.
   Si di que cil la poursuit laschement
   Et porte armes en meschant vasselage,
180 Qui s'espreuve sur povre labourage
   Et des assaulx des ennemis s'esloigne;

Ains desirer devroit, s'il estoit sage,
Honneste mort plus que vivre en vergoigne.

184 D'oultrage meurt cil qui vit par oultrage;
Raison le veult et Dieu le nous tesmoigne.
Donq doit amer homme de hault lignage
Honneste mort plus que vivre en vergoigne.

VII   *Amour*
188 Digne chose est Bonne Amour sans amer,
Plaisant confort et vie delettable,
Car Bonne Amour ne se peut entamer
En noble sang d'omme ferme et estable.
192 C'est largesce de hault cuer honnourable,
Qui de soy fait a ce qu'il ayme part;
C'est la bonté qui soy mesmes espart
Et qui acquiert autry pour le sien.
196 Hayne porte le feu dont elle s'art;
Qui n'a Amour et amis, il n'a rien.

Si la doit bien tout noble reclamer
Et querre amis par service amïable;
200 Son roy, sa terre et ses amis amer
Et au besoing leur estre secourable;
Mais quant le cuer n'est au semblant semblable,
C'est fictïon plaine de mauvais art,
204 Qui descueuvre sa fraude tost ou tart
Et dont ne vient a soy n'a autry bien.
Gentilz hommes, aiez y bien regart;
Qui n'a Amour et amis, il n'a rien.

208 Or se puet donq cellui chetif clamer,
Et son estat est dolent et dampnable,
Qui grieve et nuit et se fait diffamer
Et n'aime rien fors d'amour prouffitable.
212 Telz gens suyvent au gaing et a la table,
Mais en fortune ilz tournent a l'esquart.

Par tromperie est trompé le renart:
Amour retourne a cil qui ayme bien.
216 Homme haÿ doit vivre en grant esgart;
Qui n'a Amour et amis, il n'a rien.

C'est amittié qui trop tost se depart,
Quant elle fault des qu'on ne dit plus:
« Tien ».
220 Prïez donq Dieu que de ce mal vous gart;
Qui n'a Amour et amis, il n'a rien.

VIII   *Courtoisie*
Qui veult Noblesce esprouver,
Ou nul vil homme n'attaint,
224 Il la doit querre et trouver
La ou Courtoisie maint,
Qui tous ses envïeux vaint
Par sa doulceur gracïeuse,
228 Et n'est ennuyeuse,
Fiere n'orgueilleuse,
Mais humble et joyeuse,
Et plaisant toudis
232 *En faiz et en dis.*

Par les faiz seult on prouver
Ce qui est ou cuer empraint;
L'euvre fait tel reprouver
236 Vilain qui gentil se faint,
Car la noblesce s'estaint
Des que la vie est honteuse,
Et lengue oultrageuse,
240 Pensee envïeuse
Et main perilleuse
Font gens estourdis
En faiz et en dis.

²⁴⁴ Les courtois font approuver
   Leur bien par mainte et par maint;
   Et en eulx ne peut couver
   Mauvaistié qui n'y remaint.
²⁴⁸ Ilz n'ont jamais semblant faint
   Ne maniere desdaigneuse,
   Mais chiere amoureuse,
   De tout bien soigneuse,
²⁵² A nul dangereuse,
   Et sans escondis
   En faiz et en dis.

   Teste trop fumeuse,
²⁵⁶ Rigour despiteuse,
   Bouche rïoteuse
   Font les contredis
   En faiz et en dis.

IX   *Diligence*
²⁶⁰ Puis que vertu se parfait d'avoir paine,
   L'ame en vault mieulx et la vie est plus saine;
   L'omme en devient saige, seur et expert.
   Et Paresce est laide, nice et vilaine,
²⁶⁴ Despourveue, non sachant, incertaine,
   Qui los, ne pris, ne grace ne desert.
   On puet jugier que Noblesce se pert
   En lasche cuer qui en riens ne traveille,
²⁶⁸ Car pour neant vit qui n'ensuit en appert
   Diligence qui les vertuz esveille.

   Diligence est a Noblesce prochaine,
   Car c'est celle qui conduit et demaine
²⁷² Tous haultains faiz dont Gentilesce appert.
   C'est fol cuider et vanterie vaine
   Pour digne sang ou lignee haultaine
   De soy tenir pour noble, s'il n'y pert.
²⁷⁶ Cil qui du tout a Oyseuse s'assert,

204

Son nom dechiet et sa vertu sommeille;
Et meurt tout vif, s'a amer ne s'ahert
Diligence qui les vertuz esveille.

280 Que vault homme qui muse et se pourmaine,
Et veult avoir mol lit et pance plaine
Et demourer en repos a couvert;
Et passe temps sepmaine aprés sepmaine
284 Et ne lui chault en quel point tout se maine –
Qui soit perdu ne qui soit recouvert –
Et veult que on soit devant lui descouvert
Et que on die qu'il est noble a merveille?
288 Mais qui noble est, il aprent de quoy sert
Diligence qui les vertuz esveille.

Le raison meur se queult parmy le vert,
Et le meschief l'omme avise et conseille;
292 Et au travail, fait du rude un appert
Diligence qui les vertuz esveille.

X   *Necteté*
Cuer qui a haultesce tire
Et ou Noblesce est assise,
296 Doit toute ordure despire,
Laidure et goulïardise,
Car sa noblesce desprise,
Quant nettement ne la garde,
300 *Cellui ou tous prennent garde.*

Il ne doit faire ne dire
Chose dont on le mesprise,
Ne qui l'autry bien empire
304 Ne dont son los amenuyse.
Pense donq bien et avise,
Et sur moy mesmes regarde,
Cellui ou tous prennent garde.

³⁰⁸ Lait parler et trop mesdire
Sont une vile devise
Sur homme ou chascun se mire
Et ou tout le monde vise.
³¹² Honnesteté est requise
Pour tenir en sauvegarde
Cellui ou tous prennent garde.

Par nette et plaisant cointise,
³¹⁶ D'ordure se contregarde
Cellui ou tous prennent garde.

XI   *Largesce*

Tant est Largesce en tous cas advenant,
Qui a soy plaist et a autry prouffite,
³²⁰ Que c'est rente d'onneur bien revenant
Dont l'un acquiert gaing et l'autre merite :
Au preneur vault et au donneur delitte ;
Chascun des deux endroit soy en amende.
³²⁴ Bien n'est perdu que Largesce despende,
Car tous ses biens se despendent par sens.
Le prodigue gaste sans nul pourpens :
Et au large le bien sourt et habonde,
³²⁸ Dont il rent soy et les autres contens ;
C'est l'enseigne des vertuz en ce monde.

Don receü oblige le prenant,
Et le donneur sa grant bonté acquite ;
³³² Le donné vault plus que le remenant
Car bien mucé porte joye petite.
Et pourtant est Avarice mauditte,
Qui le poing clot que nul ne s'i attende,
³³⁶ Et lui avient que un autre gaste ou vende
Ce qu'elle acquiert et garde a griefz tourmens.
Et s'il lui sourt peril, guerre ou contens,
A nul ne chault qui la greve ou confonde,
³⁴⁰ Mais Largesce treuve amis en tous temps ;
C'est l'enseigne des vertuz en ce monde.

206

Pour ce ne doit estre eschars ne tenant
Un franc cuer d'omme en qui Noblesce habite,
344 Mais a donner plus joyeulx qu'en prenant,
Car Largesce secourt l'omme et respite.
Escharceté est a noble interditte;
Tout gentil cuer tient au large sa bende.
348 Bienfait est tel que droit veult qu'il se rende
Dont il parti, et retourne dedens;
Jamais bienfait ne se pert en nul sens
Mais quelque foiz sur son maistre redonde.
352 Largesce tient l'estendart sus les rens;
C'est l'enseigne des vertuz en ce monde.

Riche qui laisse honneur pour les despens,
Tout bien lui faille et son avoir lui fonde.
356 A Largesce voit on le cuer des gens;
C'est l'enseigne des vertuz en ce monde.

XII   *Sobresse*
Quant bon desir, qui veult hault avenir,
Meut la pensee a monter en valeur,
360 L'omme se doit lors sobrement tenir
Et eschiver le vin et sa chaleur,
Qui fait changer bon advis en foleur,
Force grever et a nature tort,
364 Troubler la paix et mouvoir le descort
Et delaisser toute chose imparfaitte;
Mais qui bien a a soy Sobresse actraitte,
Elle est propice et de peu assouvie,
368 *Ayde de sens et de santé la gaitte,*
Garde de corps et concierge de vie.

De faire excés ne puet il bien venir,
Ne corps ne los n'en puet estre meilleur;
372 Ains en pert on maniere et contenir,
Voix, alaine, legiereté, couleur.
Et tousjours a glouton quelque douleur

Et est pesant, replet et gras et ort;
376 Sa vie abrege et approuche sa mort.
Nul n'en a dueil; homme ne le regraitte
Se vers Sobresse il ne fait sa retraitte,
Car c'est celle par qui nul ne devie:
380 *Ayde de sens et de santé la gaitte,*
Garde de corps et concierge de vie.

Et qui ne scet mesure retenir
Sur sa bouche qui est l'uissier du cuer,
384 Comme peut il bien savoir parvenir
A conduire chose de pesanteur?
Gloutonnie laisse toute haulteur
Et seulement a soy paistre s'amort,
388 Et ventre saoul n'est ayse s'il ne dort,
Car d'autre bien ne songe, pense ou traitte;
Mais Sobresse, en souffisance reffaitte,
Est preste a tout quant vertu lui convie,
392 *Ayde de sens et de santé la gaitte,*
Garde de corps et concierge de vie.

Sobresse duit les faucons et affaitte
A hault voler; si est ditte et plevie:
396 *Ayde de sens et de santé la gaitte,*
Garde de corps et concierge de vie.

XIII   *Perseverance*
O excellent, haulte vertu divine,
Qui tout parfait, acomplit et termine,
400 Royne puissant, Dame Perseverance,
Cil qui retient ta loyalle dottrine,
Sans forvoyer le droit sentier chemine
De los, de pris, de paix, de souffisance,
404 Car tu vains tout par ta ferme constance
Qui de souffrir n'est foulee ne lasse,
Mal eur confont et sus Fortune passe,
Et en tous lieux la vittoire te donne,

⁴⁰⁸ Dont tu acquiers par raison la couronne
Quant les vertuz toutes la main te tendent.
Par ton conduit a hault louyer s'estendent,
Si te doivent pour patron advouer
⁴¹² *Puis que la fin fait les euvres louer.*

Tu es celle qui les cuers examine
Et, comme l'or ou croisel, les affine
En loyaulté par ton humble souffrance;
⁴¹⁶ Et qui a toy s'asseure et determine,
Tu le ressours quant il fault et decline
Et lui donnes confort et soustenance.
Mais cuer failli, lascheté, varïance,
⁴²⁰ Quantqu'ilz ont fait gastent en peu d'espace:
Ennuy les ronpt; faulte de foy les lasse;
Vertu leur fault; honneur les abandonne.
Ilz sont punis: et Dieu te guerredonne,
⁴²⁴ Car les bons ont du bien, quoy qu'ilz attendent.
Et tous nobles qui a haultesce entendent,
Se ilz sont sages, se vont a toy vouer
Puis que la fin fait les euvres louer.

⁴²⁸ Il ne fait rien, qui commence et ne fine;
Et des que aucun a varïer s'encline,
Son bien passé demeure en oublïance.
Et quant l'euvre est haulte, louable et digne,
⁴³² S'on l'entreprent sans ce que on l'enterine,
C'est reprouche de lasche oultrecuidance.
La pert l'omme son nom et sa fïance,
Et son bon los tantost se brise et casse;
⁴³⁶ Mais qui a droit ses affaires compasse,
Oultre poursuit cë a quoy il s'ordonne
Et jusque au bout en loyaulté foisonne,
Dont ses bienffaiz au parfournir s'amendent.
⁴⁴⁰ Ceulx qui tantost a Fortune se rendent
Veult Noblesce du tout desadvouer,
Puis que la fin fait les euvres louer.

Ceulx sont nobles qui corps et biens despendent
444 En loyaulté, et leur seigneur deffendent
Sans le droit neu de leur foy desnouer,
Puis que la fin fait fait les euvres louer.

Vostre mestier recordez,
448 *Nobles hommes, en ce livre.*

Quant vous serez descordez,
Vostre mestier recordez.

Voz faiz aux moz accordez.
452 Se noblement voulez vivre,
Vostre mestier recordez,
Nobles hommes, en ce livre.

LE LAY DE PAIX

I   Paix eureuse, fille du Dieu des dieux,
       Engendreë ou trosne glorïeux,
       Et transmise par le conseil des cieulx
  4 Pour maintenir la terre en unité,

       Exilliee de France et d'autres lieux
       Par oultrages et descors furïeux;
       A vous, Princes nez du lis precïeux,
  8 Tresexcellens en toute dignité,

       Jadis loez, haulx et vittorïeux,
       Et a present de vostre eur enuieux,
       Et contre vous mesmes injurïeux,
 12 En guerroiant vostre felicité

       Par faulx debaz et faiz malicïeux
       Qui tant durent que trop sont ennuieux;
       Pour radrecer voz courages en mieulx
 16 Transmet ce lay d'amour et d'amité.

II   Pensez de qui vous venistes
       Et yssistes,
       Et dont voz armes prenistes,
 20 Et tenistes
       Honneur, terre, nom et gloire.

Et de ceulx par qui nasquistes
Et vesquistes,
24 Dont les biens vous vindrent quittes
Que n'acquistes,
Aiez aucune memoire.

Et par voz guerres despites,
28 Leurs merites
Ne deffaittes ou desdittes,
Qui escriptes
Sont et durent jusqu'a ore.

32 S'autrement faittes ou dittes,
Voz conduittes
Seront en honneur petites,
Et maudittes
36 En cronique et en hystoire.

III   S'entre vous a des torfaiz
Des debaz et des meffaiz,
Contrefaiz
40 Par volenté et par fait
Qui deffait
Ce qu'amour y deüst faire,

En doivent estre deffaiz
44 Ceulx qui ne se sont meffaiz
Par voz faiz,
Et qui de tout ce meffait
N'ont forfait,
48 Et si en ont tel affaire.

Visez que par voz forfaiz
Voz ennemis sont refaiz
Et si faiz
52 Que maint exploit et torfait
En ont fait
Pour la fleur de lis deffaire.

Si vous seroit trop grief faiz
56 Que vous, qui en fustes faiz
Si parfaiz
Et en avez le bienfait
Au parfait,
60 Lui souffrissez tant meffaire.

IV   Discorde hayneuse
Fait vie attayneuse
Et souspeçonneuse,
64 Tousjours angoisseuse,
Melencolïeuse,
Plaine de douleur et d'ire;

A l'ame greveuse
68 Au corps perilleuse,
Au cuer chagrineuse,
A l'onneur doubteuse,
Aux biens dangereuse,
72 Et au courage martire;

De bien ennuyeuse,
De mal desireuse,
De soing planteureuse,
76 D'ayse souffreteuse,
D'autry besoigneuse,
A qui rien ne peut suffire;

Pensee soigneuse,
80 Paine merveilleuse,
Despense oultrageuse,
Charge coustageuse,
Et si poy eureuse
84 Que soy et autry empire.

V   Dieux, quelz maulx et quelz dommages,
Quelz meschiefs et quelz oultrages,

213

Quelz ouvrages,
⁸⁸ Quelz pillages
Et forsaiges,
Et quans petis avantages
Sont venuz par voz debas!

⁹² Quantes dames en veufvages,
Orphenins sans heritages
Ne mesnages;
Labourages
⁹⁶ Et villages,
Bourgs, villes, chasteaulx, passages,
Ars, destruis, et mis au bas!

Les vaillans hommes et sages,
¹⁰⁰ Mors, prisonniers ou hostages
En servages;
Pastissages
Et truages,
¹⁰⁴ Tailles pour paier les gages
Ou se font les grans cabas;

Faultes de foys et d'ommages,
Meschans mis en haulx estages,
¹⁰⁸ Cuers volages,
Foulx messages,
Faulx langages:
Si pensez en voz courages
¹¹² Que trop durent telz esbas.

VI   Quant en France estoie,
Je l'entretenoie
Seure par la voye,
¹¹⁶ Par les villes coye,
Si que nulz n'y meffaisoient.
Toutes gens aloient
Quel part qu'ilz vouloient,

214

¹²⁰ Et ne se mesloient
Ne ja ne parloient
Fors de lÿesse et de joye.

De gens la peuploie,
¹²⁴ La foy augmentoie,
Justice y gardoye,
Labourer faisoie;
Et tous en seurté vivoient.
¹²⁸ Les marchans gaignoient,
Nobles voiageoient,
Clercs estudïoient,
Les prestres chantoient;
¹³² Et chascun planté mouvoie.

Riche la tenoie,
Les bons soustenoie,
Honneur maintenoie,
¹³⁶ Gens y admenoie.
Tous estrangiers y venoient,
Les princes donnoient,
Les grans despendoient,
¹⁴⁰ Povres y partoient,
Tous en amendoient;
C'estoit d'onneur la montjoye.

Las! Trop fort m'ennoie
¹⁴⁴ Que bannie en soie,
Et qu'el se desvoie
Du tout et forvoie;
Si que les estrangiers voient
¹⁴⁸ Ceulx qui en avoient
L'onneur, qu'ilz devoient
Garder s'ilz savoient,
Qui la desavoient,
¹⁵² Se Dieu des cieulx n'y pourvoie.

VIII Don vient cest aveuglement
Qui si maleureusement
Et tant douloureusement,
156 Par fautte d'entendement,
D'advis et de sentement,
Maintient cest esloignement
Si longuement?

160 Entendez l'enseignement
Du Crëateur qui ne ment,
Qui pardonna largement
Et vous fait commandement,
164 Par loy et par testament,
De vivre paisiblement.
Helaz! Comment

Chiet en voz jours si griefment,
168 Et par voz faiz seulement,
Vostre maison mesmement,
Qui estoit le parement
D'onneur soubz le firmament
172 Et de foy le fondement?
Son detriment

Est a vostre dampnement
Et un honteux vengement;
176 Et se bon advisement
Et piteux consentement
N'y mettent amendement,
Vous en soufferrez tourment
180 Au jugement.

VIII Quel plaisir et quel lÿesse,
Quel honnourable richesce
Ou quel renom de proesse
184 Vous puet il d'ailleurs venir,
En souffrant mal avenir

216

A ce dont vostre haultesse
Et tout vostre bien vous vient?

188 Est il serment ne promesse,
Fait par ire ou par tristesse,
Qui puisse rompre la tresse
Ou droit de sang retenir
192 Vous fist et entretenir
Par la naturele lesse
Dont le lÿen vous retient?

Pitié et Raison confesse
196 Qu'il n'est dangier në aspresse,
Peril de mort ne destresse
Que ne doiez soustenir
Pour le beau lis maintenir,
200 Dont l'onneur et la noblesse
A garder vous appartient.

Et se par vostre paresce,
Fautte d'advis ou simplesce,
204 Chascun verser la delesse,
Que cuidez vous devenir
Ne quele seurté tenir?
Car qui soy mesmes se blesse
208 D'autry deffié se tient.

IX Voz debaz ennuyent.
Les bons cuers les fuyent
Et pour la paix prïent;
212 Et vous en supplïent:
Faictes y devoir.

Les vertuz s'oublïent;
Erreurs multiplïent;
216 Ennemis espïent
Tousjours, quoy qu'ilz dïent,
A vous decevoir.

Droiz excommenïent
220 Et les lois maudïent
Ceulx qui Paix desdïent.
Nature et Droit crïent
Et font assavoir

224 Que tous se rallïent –
Les fiers s'umilïent;
Les durs s'amolïent;
Les rigoureux plïent –
228 Pour la paix avoir.

X Aiez des maulx repentance
Et des biens recongnoissance;
Toute ire et fureur cassez.
232 Oublïez les temps passez
Et reprenez ordonnance.

Donnez au peuple allejance
Et a Dieu obeïssance.
236 Vous en avez fait assez
Pour devoir estre lassez;
Relessiez Lui la venjance.

Ne croiez oultrecuidance;
240 Peu dure fiere puissance.
Dieu pardoint aux trespassez:
Par la fault que vous passez;
C'est nostre commune dance.

244 Guerre la mort vous avance:
Paix tient vo vie en souffrance,
Par qui temps est relaxez.
Ensemble vous amassez;
248 Monstrez qu'estes nez de France.

XI   Qui veult que sa vie dure
      En murmure,
      Et trop se lesse abuser
252 A user
      Son temps dessoubz la fortune,

      El se tourne vers lui dure
      Et obscure,
256 Et le lesse cabuser
      Sans muser,
      Car el n'est pas tousjours une.

      Homme, qui de Paix n'a cure,
260 Se procure
      Que Paix le doit reffuser
      Et ruser;
      C'est la venjance commune.

264 Raison lui nuist et Nature
      Par droitture,
      Ne on ne puet desacuser
      N'excuser
268 Qui la lesse pour rancune.

XII   Si vous requier par desir curïeux:
      Fuyez rappors faulx et suspicïeux;
      Querez moyens doulz et concordïeux;
272 Vainquez rigour par vostre humilité;

      Laissez aigreur et faiz contencïeux,
      Orgueil, fierté, vouloir ambicïeux,
      Affettïons, appetit vicïeux,
276 Pensez que tout n'est que une vanité,

      Et que les durs et les presumpcïeux
      Vivent dolens et melencolïeux;

Mais les benings, courtois et gracïeux
280 Se gouvernent selon humanité.

Leurs faiz durent et leurs estaz sont tieulx
Que honneur leur croist et meurent seurs et
[vieulx,
Si qu'a l'issir des fraeles corps mortieulx
284 Leur ame est sauve avec la Deïté.
Amen.

Explicit.

LE DEBAT DU HERAULT,
DU VASSAULT ET DU VILLAIN

I   Naguieres q'ung prudent herault,
             Grant voyageur, homme ancïen,
             Parloit a ung jeune vassault
    4 Qui ne savoit q'ung peu de bien;
             Si estoit il de bon hostel
             Et filz d'ung vaillant chivallier,
             Mais l'enfent n'estoit mie tel
    8 Quoy qu'il feüst son heretier.

II   A l'enfent estoit grant chevance
             Par la mort de son pere escheue,
             Maiz de son honneur et vaillance
    12 Avoit il petite part eue.
             Le herault le trouva tançant
             A ung bon homme de villaige,
             En l'appellant « Villain püant »,
    16 Cuidant faire beau vassellaige.

III   Le herault estoit froit et cault
             Et vit que ce jeune seigneur
             Estoit oultrecuidé et chault
    20 Et avoit en lui pou d'onneur,
             Dont il estoit bien esbaÿ
             Car il avoit cogneu le pere.
             Doulcement vers lui se traÿ
    24 Pour s'acquiter et devoir faire,

IV   *Le Herault*
            Disant : « Mon seigneur, je vous prie!
            Car il ne vous vueille desplaire,
            Pour Dieu, chouse que [je] vous die,
         28 Car je ne m'en puis ne doy taire!
            Les vostres m'ont fait largement
            Des biens; si doiz de mon pouvoir
            Amer l'ostel, principalment
         32 Vous, chief des armes et seul hoir.

V   Et deussiez vous maintenant estre
            Villenant villains en villaige?
            Ne deussiez vous servir ung maistre
         36 Vaillant, avant estre son paige?
            Le bon mareschal de Sancerre,
            Que je vis puis bon connestable,
            Faisoit bien gesir sur le feurre
         40 Vostre pere, et mangier sans table. »

VI   *Le Vassault*
            « Voy, mon seigneur fut renommé,
            Ung des meilleurs que l'on veist oncques.
            Vous avez tresbien sermonné,
         44 Mais le temps n'est pas tel qu'adoncques;
            Vëez vous comme il nous en baille.
            Dieu ait l'ame des trespassés!
            Ilz n'eussent pas geu sur la paille
         48 S'ilz eussent des moulz liz assés! »

VII   *Le Herault*
            Lors lui respondy le herault :
            « S'ilz se fussent tousjours tenu,
            Ainsi que vous, blanc, moyte et chault,
         52 L'onneur ne leur fust pas venu,
            Car on n'a jamaiz bien sans peyne;
            Pour ce lasches n'ont pris ne loz ».
            « Voy », dist l'aultre, « Que vault avoyne
         56 Au jour d'uy pour les bons? Trois soulz? »

222

VIII   *[Le Herault]*

         « Mieulx valent trois soulz en bon nom
         Que cent mille frans en reprouche.
         Que les bons n'ayent guerredon
 60 Ne vous saille jamaiz de bouche,
         Car ung vaillant pouvre sans doubte
         A plus de bien de ce qu'il sent
         Qu'on l'aime, louë et redoubte,
 64 Que n'ont lasches riches ung cent. »

IX   *Le Vassault*

         « A ce loz et honneur conquerre
         A souvent des perilz assez,
         Et bien souvent en l'alant querre
 68 Sont, sans l'avoir, mains trespassez.
         Dieu par sa grace les assoille!
         Or maintenant par sa vaillence
         Nul bon ne treuve qui l'acueille
 72 Comme l'on souloit faire en France. »

X   *Le Herault*

         « Or s'on fait es vaillans devoir
         Ne s'ilz ont offices ne dons,
         Vous ne le devez pas savoir,
 76 Car il ne le scet que les bons;
         Et croy, mais qu'il ne vous desplaise,
         Que l'onneur n'est ne ne tient compte
         De nul home qui quiere l'aise,
 80 Et fust cent fois roy, duc ou conte. »

XI   *Le Vassault*

         Au vassal despleut du herault
         Dont il parle si haultement,
         Mais au vieillart petit [en] chault.
 84 Lors lui dit rigoureusement
         Le jeune vassal : « Or ça, sire!
         Je prens que j'aye le vouloir

De faire quantqu'on pourroit dire,
88 M'armer, servir en tout devoir.

XII   Il ne me fauldra pas actendre
        Que le roy m'aide a mectre suz;
        Ains me fauldra mes baguez vendre,
92 Espoir engagier le surplus.
        Et s'aucun essoyne me sourt,
        Ou une perte toute seule
        Ces humeurs [de] broez de court
96 S'en mocqueront a pleine gueule. »

XIII   *Le Herault*
        « De teulz souillars la mocquerie
        Ne vous doit de riens retarder,
        Car mal que nulz d'eulx de vous die
100 Ne fait se non vous avancer.
        Gormandent, flatent, estudïent
        A rendre villains fellons motz;
        Quand de vous ou aultre mesdïent,
104 Leur blasme vous est ung grant loz. »

XIV   *Le Vassault*
        « Je ne sçay, maiz le plus souvent
        Les flateurs sont bien des seigneurs,
        Et ont tout a leur gré le vent
108 Et raboutent tous les meilleurs;
        Et cela pluseurs bons retarde
        D'avoir bon vouloir a leur maistre,
        Car a chief qui riens ne regarde
112 Autant vault maulvaiz que bon estre. »

XV   *Le Herault*
        « M'aist Dieu, sire, sauf vostre grace,
        Fault il, se je sers ung seigneur
        Lasche, failli, qui ne pourchasse
116 D'estre vaillant ne son honneur,

Ou se j'ay ung prince si beste
Que les bons il ne recognoisse,
Qu'a sa folie je m'areste
120 Tant que mon honneur je n'acroisse? »

XVI   *Le Vassault*
« Je croy bien que son honneur croistre
Doit vouloir chascun gentilhomme
Pour soy faire amer et cognoistre,
124 Quoy que la sayson n'est pas comme
Elle estoit du temps noz ancestres,
Car ceulx qui les vaillans faysoient
Estoient les bons vaillans maistres
128 Qui les vaillans recognoissoient. »

XVII   *Le Herault*
« Qu'il ne soit pour vaillans sayson?
Si est trop meilleur que jamaiz
Et je vous diray la rayson :
132 Il en est trop moins qu'oncques maiz.
Et s'il en estoit ung venu,
Tel que furent les trespassez,
Il seroit trop plus chier tenu
136 Que s'il estoit des preux assez. »

XVIII   *Le Vassault*
« Or ça! Je prens q'ung de ces preux
Revenist maintenant en vie.
De quoy s'aideroit il? De ceulx
140 Qui tiennent ceste pillerie?
Car quant il s'en vouldroit aidier,
Tous trayroient le cul arriere,
Qu'il n'y a ung tout seul rotier
144 Qui ne fuÿsse la frontiere. »

XIX   *Le Herault*
« Quant ces hommes vaillans vivoyent,
Dieu leur donnoit a tous ung don;

C'est car es charges qu'ilz avoient,
148 Ilz faisoient d'un maulvaiz bon.
Maintenant on fait le rebours,
Car des bons on fait les maulvaiz :
Les chiefs se soillardent es cours ;
152 Leurs gens pillent païs de paix. »

XX   *Le Vassault*
« Pour ce, des nobles du païs
Les seigneurs qui ces pillars tiennent
Sont petitement obeïz,
156 N'a leurs mandemens plus ne viennent.
Aussi ne verrés vous seigneur
Qui teulz gens advoue ne tiegne,
Qui face riens de son honneur
160 N'emprise dont mal ne lui viegne. »

XXI   *Le Herault*
« Dea », dit le herault, « Les emprises
Sont aucunes foiz vaillemment
Et par grant prouesse avant mises,
164 Dont il advient estrangement
Et bien souvant que l'an a veu
Que la plus feible et plus petite
Partie, qu'on n'eust jamaiz creu,
168 A la plus grande mise en fuyte. »

XXII   *Le Vassault*
« Je croy bien qu'il ait es batailles
Aucunes foiz des meseürs,
Car, lou sont telles larronnailles,
172 Dieu n'envoye pas les eürs ;
N'oncq je ne veiz – ne leur desplaise,
Sy en ay je cogneu beaucop –
Nul dont la fin n'en feust maulvaise,
176 Se ne fust le bastard Bigot. »

XXIII   *Le Herault*
     « Beau sire, vous ne devez mie
     Vous eslïessier d'oïr dire
     Q'ung homme de meschante vie
180 Face meschant fin, ou mal muyre.
     Espoir est il en paradis –
     La voie en est a tous ouverte –
     Et s'il n'est vray ce que je diz,
184 Je croy qu'il n'y a pas grant perte. »

XXIV   *Le Vassaulx*
     « Se les maulvaiz des vices plains,
     Qui oncques fors tout mal ne firent,
     Estoient autant des gens plains
188 Que ceulx qui vaillemment vesquirent,
     L'en feroit es vaillans grant tort,
     Car leur guerredon et debvoir
     Est de les plaindre aprés leur mort
192 Et leurs beaulx faiz rementevoir. »

XXV   *Le Herault*
     « Mectez dont peyne d'estre bon
     Et voz vaillans parens ensuyvre,
     Pour acquerir ce guerredon
196 Qui aprés leur mort fait gens vivre.
     Suyvés tousjours les plus vaillans
     De quelque baz estat qu'ilz soient,
     Car aucunes foiz les plus grans
200 Ne font pas tout ce qu'ilz devroient. »

XXVI   *Le Vassault*
     « Dëa, se mon prince me mande,
     Il fault que je l'aille servir
     Et aille soubz qui il commende;
204 En moy n'en est pas le choysir,
     Car se soubz aultre chief de guerre
     Plus avant me mectz ou alie,

L'en me confisquera ma terre
²⁰⁸ Et reprandra de foy mentie. »

XXVII   *Le Herault*
« Soubz princes laschez et failliz
Et en armes meseüreux,
Sont bien aucunes foiz sailliz
²¹² Mains vaillans et chivallereux,
Et tel fois que d'une journee
Cil qui est chief le non avra,
Qui sera de toute l'armee
²¹⁶ Cellui qui moins d'armes fera. »

XXVIII   *Le Vassault*
« Et doncques, par ce que vous dictes,
Ce loz et pris que les chiefz ont
Ne vient mie par leurs merites,
²²⁰ Quant ce sont ceulx qui moins en font.
Et je cuideroye q'ung chief
Ne deust d'estre preux nom avoir,
Tant venist la chouse a bon chief,
²²⁴ Fors selon qu'il feroit devoir. »

XXIX   *Le Herault*
« Chief qui entreprent hardiment,
En tenant gens en ordennence,
Actent le peril vaillemment
²²⁸ Contre une plus grande puissance.
Prennons qu'il ne face aultre chouse :
Si est ce a lui grant hardïesse,
Dont l'avanture actendre il ose;
²³² Et se bien en vient par lui est ce. »

XXX   *Le Vassal*
« Bien? Doncques doit ung chief de guerre,
Qui se moustre vaillant tout oultre,
Grant loz et grant honneur acquerre,

228

²³⁶ Quant cellui qui riens ne se moustre
Et qui sera de la journee
Cellui qui le moins fera d'armes,
Avra toute la renommee
²⁴⁰ Du bien que feront ses gens d'armes! »

XXXI   *Le Herault*
« Or, pensés doncques, quel dueil est ce
A ung prince chevallereux
Qui, soy moustrant plain de prouesse,
²⁴⁴ Se voit desemparé de ceulx
Qui lui doyvent service et foy,
Dont il est et chief et seigneur?
Et, par mon serement, je croy
²⁴⁸ Qu'il n'est nul si grant crevecuer.

XXXII   Que peult ung cuer panser en lui,
Qui se moustre vaillemment preux,
Et voit que la faulte d'aultrui
²⁵² Lui met le nom de malheureux?
Et, quant a moy, je ne croy mie
Qu'au seigneur, pour jeune qu'il soit,
N'en souviegne, quoy qu'on en die,
²⁵⁶ Toutes les fois qu'il les revoit. »

XXXIII   *Le Vassault*
« Ung chief, doncques, quant il prent
                                    [charge
Doit bien eslire gens de fait,
Et soy garder qu'il ne se charge
²⁶⁰ De gens par qui il soit deffait;
Non pas de jeunez pinperneaux
Car, comme ont dit ly ancïen,
Qui fait sa chace de chëaux,
²⁶⁴ C'est avanture s'il prent rien. »

XXXIV *Le Herault*

« Dëa, ce n'est mie merveille,
S'un seigneur quelque chouse emprent
Et par jeunez foulz se conseille,
268 Se honteusement lui en prent;
Et quant le cas est advenu,
Tant soit bon et chevallereux,
Chascun le fuit et est tenu
272 En ses emprinses malheureux.

XXXV   Et au rebours, s'il advient bien
Et que pour lui soit la journee,
Tout le pris et loz en est sien
276 Du bien que se fait en s'armee,
Et quant Dieu [lui] donne ung tel bruyt,
Il a plus qu'il ne veult de gent;
Chascun tel pouvre pour neant suyt
280 Plus tost q'ung riche pour l'argent. »

XXXVI   *Le Vassault*

« Je cuide bien, se sa parsonne
A une grande seignourie,
Cela ne lui tost ne lui donne
284 Le renom de chevallerie;
Et ce, les ancïens ne doubtent,
Ainçois tiennent, et est certain :
Scïence et vaillance se boutent
288 Souvent en gens de basse main. »

XXXVII   *Le Herault*

« On le voit souvent advenir
Que cil qui n'a q'ung peu vaillant,
Met plus grant paine a acquerir
292 Scïencë, ou d'estre vaillant,
Que le filz d'ung roy ou d'ung comte;
Si ne diz je pas q'ung seigneur
Qui de vaillence ne tient compte
296 Ne viengne bien tart a honneur. »

XXXVIII *Le Vassault*

« Il leur souffit d'estre grans maistres
Sans avoir honneur et vaillance;
Et s'ilz font de leurs enfens prestres,
300 C'est sans lecture ne scïence.
Pouez pancer q'une pollice
Qui est conduyte par teulx chiefs,
Par lasche prince et prelat nyce,
304 Est cause de mains grans meschiefs. »

XXXIX *Le Herault*

« Prince sans vaillence est peu craint;
Aussi chascun destruit sa terre,
Chascun ses trevez lui enfraint,
308 Trop mendre de lui lui fait guerre.
Ses subgetz lui desobeïssent;
Et ceulx qui par sa lascheté
Il laisse destruire, maudissent
312 L'eure de sa nativité. »

XL *Le Vassault*

« Et le prince vaillant et saige
Enrichist en paix ses subgeiz.
En sa terre pillart ne paige
316 N'arrançonne ne prant logeiz.
Il n'a ne parent ne voysin
Qui ne le voye voulentiers
Ne ja ne perdra ung poucin,
320 Tant le craingnent les estrangiers. »

XLI *L'Acteur*

Le villain qu'on avoit tancé,
Lequel ilz ne vëoient pas,
Si s'est maintenant avancé
324 Et se veint mectre en leur soulaz
Disant : « Ores, ne vous desplaise... »
Puis hosche le chief et s'escoute :

231

« Il me couvient mectre a mon aise ».
328 Lors se veint soir sur une moute.

XLII   *Le Villain*
          Et quant il se fut acouté,
          Sans fairë aultre reverence :
          « J'ai bien ouÿ et escouté
332 Vostre soulaz, mais quant je y pense,
          Tout ne vault ung bouton de haye.
          Vous ne parlés point de la taille.
          Pour quoy est [ce] que l'on la paye,
336 Se n'est pour faire la bataille?

XLIII   En quoy a l'en tant despendu
          D'argent comme l'en a levé,
          Que par le col soit il pendu
340 Qui loyaulment l'a gouverné?
          Ilz dïent que c'est pour le roy,
          Maiz il va bien en aultres mains,
          Car par mon serement, je croy
344 Que c'est cil qui en a le moins.

XLIV   Et queulx gens d'armes avons nous
          En la frontiere, se Dieu plaist?
          Il me semble qu'ilz fuyent tous
348 La guerrë; elle leur desplaist!
          Tous ceulx que le roy a suz mis,
          L'en les puisse par les coulz pendre;
          Nous sont pis que les ennemis,
352 Et si ne nous ousons deffandre.

XLV   Ou est celle belle conqueste
          Que l'en a fait sur les Angloiz?
          He Dieu, et que le peuple est beste
356 Quant il accorde teulx octrois!
          De l'or qu'on a eu de la taille
          On eust achecté Angleterre!

Et par Dieu, tant qu'on la leur baille,
360 Ilz ne feront exploit de guerre.

XLVI   Mais quant on les refusera,
A quoy l'on a trop actendu,
Alors tout besoing leur sera
364 D'aler conquester du perdu;
Et par mon serement, je croy
Que, tant qu'on leur vueille octroyer,
Les gens qui se dïent au roy
368 N'aprendront de riens guerroyer.

XLVII   Et le peuple a trop bel respondre
Au roy quant il requier ses aydez :
" Sire, tez gens se vont escondre
372 Quant il est temps que tu t'en aydez ".
Maiz ou quierent ilz leurs mussoires?
A desrouber pouvres marchans;
En guectant les marchiez et foires
376 Et destroussant gens par les champs! »

XLVIII   *L'Acteur*
Puis s'entrerompi le soulaz
Des trois, car le saige vieillart
Se print lors a parler moult bas
380 Et tirer le vassault a part;
Et sembloit qu'il eust grant desir
De blasonner ne sçay lesqueulx.
Qu'il dit, je n'en peuz riens oïr,
384 Fors qu'il dit : « Croyés, ilz sont teulx ».

XLIX   *Le Vassault*
Dont le vassault lui respondy :
« Il fault doncq que tout soit desert ».
Et le herault lui dist aussi :
388 « Vous voiez bien que tout se pert ».
Le vassal lui dist : « Quel remede,

233

Que pensés vous, que ce sera? »
« Par ma foy, a ce que je cuide »,
392 Dist le herault, « Tout se perdra. »

L   *Le Villain*
« Perdra? Mais est il ja perdu!
Que le deable en soit adouré! »
Leur a le villain respondu,
396 Qui loing d'eulx estoit demouré.
« A la bataille, a la bataille,
Entre vous aultres gentillastres;
Non pas au roy tollir sa taille
400 Et vous groppir gardant voz astres!

LI   Car se les gentilhommes feissent
Aussi bien que nous leur debvoir,
Que le roy des corps ilz servissent
404 Ainsi que nous de nostre avoir,
Les estrangiers pas ne pillassent;
Mais les nobles mesmes, subgeiz
Du roy, vont vers eulx quant ilz passent
408 Faire rançonner les logeiz.

LII   Que le grant deablë y ait part!
Chascun dit qu'ilz sont a butin.
Il se peut tresbien lever tart
412 Qui a nom de lever matin;
Et par le sang Dieu, les François
Avront fait cincq cens mille biens
Et destruit trestous les Angloiz,
416 Qu'on dira qu'il n'en sera riens. »

LIII   *L'Acteur*
Le vieulx herault adoncq s'en rit,
Dont le villain ainsi s'avence.
Lors le jeune vassal despit
420 Lui dist : « Beau sire, quant je y pense

234

Il me semble que ces villains
Ont trop beau compter sans rabatre,
Car ilz ne sont jamaiz contraings
424 [De soy] faire tüer ne batre ».

LIV   Me sembloit d'eulx ouÿr parler
        Qu'antr'eux jouassent une farce,
        Et lors il me va remambrer
428   Du vaillant bailly d'Aigueperse
        Qui me dist une foys : « Alain,
        J'ayme trop mieulx paier la taille
        Et vivre longuement villain,
432   Que noble mourir en bataille ».

LV   On pourroit avoir souspeczon
        Que je voulsisse cecy dire
        Pour mon bon compaignon Neczon.
436   Pour ce, quant je l'ay fait escripre,
        J'ay a l'escripvain deffendu
        Du moustrer. Au fort, s'on lui baille,
        Bien assailly, bien deffendu ;
440   Face, s'il scet, de pire taille !

        Explicit.

GLOSSAIRE

Les mots dont le sens est attesté par le *Petit Robert* ne figurent pas dans le glossaire. Sont exclus également les mots qui sont disparus de la langue moderne, mais qui sont facilement compréhensibles, soit parce qu'il existe toujours une forme apparentée (*acointer*, (*accointance*)); *esbatement*, (*ébats*); *oiseuse*, (*oisiveté*)), soit parce qu'il s'agit d'un composé (*adonc, adoncques*, (*donc*)); *enhaÿr*, (*haïr*); *relessier*, (*laisser*)) ou d'un verbe dont l'équivalent moderne se conjugue de façon différente (*aviler*, (*avilir*); *despendre*, (*dépenser*); *finer*, (*finir*)). Les citations sont normalement limitées aux deux premiers exemples du mot en question. *Y* a été assimilé à *i*; à cette exception près, les citations suivent l'ordre alphabétique normal.

Avant d'aborder les poèmes, le lecteur trouvera utile de lire les remarques sur la langue, et surtout sur l'orthographe. Le sens de plus d'un mot devient clair quand on le prononce.

Dans le glossaire les abréviations suivantes sont utilisées: pour les mots –
adj. adjectif; *adv.* adverbe ou adverbial; *art.* article; *conj.* conjonction; *dém.* démonstratif; *exclam.* exclamation; *f.* féminin; *fut.* futur; *ind.* indicatif ou indirect; *m.* masculin; *n.* nom; *p. hist.* passé historique; *p. p.* participe passé; *p. prés.* participe présent; *pers.* personnel; *pl.* pluriel; *poss.* possessif; *prép.* préposition; *pron.* pronom; *r.* cas régime; *s.* cas sujet; *subj.* subjonctif; *t.* temps; *v.* verbe ou verbal; et pour les poèmes –

accoyser v. calmer, apaiser BD 363

accroirre v. prêter QD 1656

accueillir v. attaquer, assaillir QD 1915, RM 55

achoison n. f. motif, raison QD 1426

adez adv. toujours QD 1261, 3329 *a... a.* tantôt... tantôt BD 132

adjourner v. apparaître (de l'aube) BD 191

adouler v. attrister QD 1271

adrechié p. p. & adj. bien instruit QD 1136

affaictier v. dresser BN 394 *s'a. a* se réconcilier à BD 501

affaitié affecté, faux QD 1231, L:II

afferir v. convenir QD 966, 1077

affetardir (s') v. s'amollir QD 2761

affilouere n. f. affiloir QD 2104

affuÿr v. accourir, se réfugier QD 493

aggregier v. s'empirer QD 1388, 3013

aguet n. m. tour, fraude QD 857, BD 750

aherdre (s') a v. s'appliquer à, se dévouer à BN 278

aim n. m. hameçon EX 242

aÿmant n. m. substance très dure – acier ou diamant RM 288

ainchois que conj. (subj.) avant que QD 2611

ainçois, ains adv. mais, plutôt QD 113, 820

ains que conj. (subj.) avant que QD 1126, 1912

aÿr n. m. irritation QD 2943

aÿrer v. irriter BN 100

aloigne n. f. délai QD 3142

alucher v. tromper RM 302

amati p. p. & adj. déprimé, vaincu QD 1344, 1836

amesureement adv. modérément BD 220

amoistir v. arroser QD 63

amonnester v. prier, conseiller QD 868, 3418

amordre v. habituer QD 987 *s'a. a* s'appliquer à BN 387

amuser v. tromper QD 3224, RM 301

ancesseurs n. m. pl. ancêtres QD 2870

anvel n. m. messe dite tous les jours pendant un an (?) QD 3109

aöurner v. orner, munir QD 2600, 2847

apaisier (s') de v. se contenter de RM 236

appaillardir v. se relâcher QD 2763

appendre a v. appartenir à QD 2889

appointer v. réconcilier QD 3365 *s'a.* se préparer QD 2457

ardre v. brûler QD 815, 1652

ardure n. f. brûlure, ardeur QD 1890

argüer v. assaillir, presser QD 1709

arroi n. m. manière, conduite QD 2750

assener a v. réussir à QD 2966

assentir (s') a v. consentir à QD 1943, 2280

assez adv. très, beaucoup QD 186, 761

assouvi adj. parfait RM 119, CO 128

ataine n. f. animosité BD 249

atainte n. f. but, objectif BD 95

atie n. f. animosité QD 1342

atremper v. tempérer BN 106

attayneux adj. irritant, désagréable PA 62

attenir v. tenir BN 60

avaller v. descendre QD 347

aventuré p. p. & adj. malheureux, misérable QD 721

baguez n. f. pl. possessions HV 91

bandon n. m. pouvoir RM 242

baster a v. réussir à QD 1661

batant adv. à toute vitesse QD 2003

baut adj. fier, hardi QD 2962

beer v. aspirer RM 229

bobant n. m. présomption QD 909

bonne n. f. borne BD 47

bouleurs n. m. r., *boulierres* n. m. s. trompeur, tricheur QD 2393 *buhoreau* n. m. héron QD 2802

butin n. m. *a b.* en commun QD 1176; d'intelligence HV 410

cabas n. m. tromperie PA 105

cabuser v. tromper PA 256

carcas n. m. carquois EX 227

cault adj. sage, prudent HV 17

causer (se) de v. se fonder sur QD 2517

cemondre v. exhorter QD 1811, 2552

certiffier v. rassurer BD 637

chaleng(i)er v. demander, réclamer RM 144, 318

charïer v. *droit ch.* agir avec prudence QD 2380

chatel n. m. bien (meuble) QD 1035, 2898

chëaux n. m. pl. chiots HV 263

chevir de v. réussir QD 1552 *se ch. de* réussir, se sortir de QD 1444, 3362, BD 441

chiere n. f. visage QD 2, 178 *faire ch.* faire bon visage QD 1226, BD 89 *bonne ch.* bonté BD 413

chierté n. f. affection BD 318, EX 97

choisir v. voir, apercevoir QD 165, BD 110

clamer v. appeler QD 190, 948; réclamer QD 1289 *c. pour* reconnaître pour QD 606, RM 331

clamour n. f. plainte EX 46

cochet n. m. girouette QD 1719

cointe adj. élégant QD 869

cointise n. f. élégance QD 2790, BN 315

cole n. f. humeur QD 1960, BD 303

combien que conj. (ind. ou subj.) bien que QD 48, 183; (ind.) parce que, d'autant plus que QD 175

commant n. m. représentant QD 2974

comparer v. acheter QD 559, RM 256-7

conduit n. m. escorte L:II; conduite BN 410

confire v. composer QD 2150, BD 300

connin n. m. lapin QD 54

content n. m. querelle, dispute QD 1646, BN 338

contregarder (se) v. se préserver QD 1264, BN 316

contretenir v. contenir, maîtriser BD 85

contreuve n. f. invention QD 2672, 3289

converser v. habiter QD 2765

couchier v. *en jeu c.* mettre en jeu RM 259

courcier, courouchier v. affliger, désoler QD 441, 471, 2547; irriter QD 2587; s'affliger QD 2538

courir seure v. attaquer QD 683, CO 177

cour(r)oux n. f. affliction, douleur QD 395, 498

cours n. m. pas d'armes QD 2279, 3189(?)

couvent n. m. promesse QD 1717

cremeteux adj. qui a peur QD 863

cremir v. craindre QD 1983

cremour n. f. crainte QD 1983

crerre v. croire QD 3180

croisel n. m. creuset BN 414

crouler v. secouer, agiter QD 2357

cuider v. penser, croire QD 261, 1461 n. v. pensée, opinion BD 253, 258

curïeux adj. soucieux PA 269

dece(p)vance n. f. tromperie, fraude QD 128, 747

deffermer v. défaire EX 157, EX 159

deffumé adj. sans fumée QD 2411

definer v. mourir QD 422; finir QD 2346

defouler v. insulter QD 2693

defuire v. fuir QD 492, 2565

degoiser (se) v. se divertir QD 88

delivre adj. libre QD 481, 3071

demener v. conduire, mener QD 2965, BN 271; troubler QD 1571, 1866

dementer (se) v. se lamenter QD 2500, 3347 *se d. de* désirer de QD 3287

departir v. séparer QD 564, 579; partager, distribuer QD 739, 2434 *se d.* partir QD 684, 1562; se quitter QD 3446 *d.* n. v. séparation, départ QD 2459, 3439

deporter (se) v. se divertir CO 46, BD 780 *se d. de* s'abstenir de QD 840, 3319

derroi n. m. méfait QD 2748

desavoier v. détourner PA 151

descherpir v. séparer QD 1580

descorder v. mettre en désaccord BN 449

deserte n. f. ce que l'on mérite RM 166, BD 370 *sans d.* injustement, sans le mériter QD 471, 2062

deservir v. mériter QD 737, 1208; libérer QD 740; rendre un mauvais service QD 2937, RM 341, BD 213 *d. a* récompenser RM 267

deshaitier v. attrister QD 1795

deslos n. m. blâme BD 677

despire v. mépriser BN 296

despit adj. odieux CO 1, PA 27; irrité HV 419

despiter v. mépriser QD 1038

despiteux adj. sans pitié BD 671, EX 178

despointer de v. priver de CO 25 *se d. de* se dissocier de QD 3366

desrivé p. p. & adj. déréglé QD 1543

dessevrance n. f. séparation, rupture QD 3070

destour n. m. lieu isolé QD 157; situation pénible RM 308; obstacle BD 167

destourber v. détourner de QD 2759

destraindre v. tourmenter, affliger QD 516

desuivre v. poursuivre QD 2440

devenir a, en v. (en) venir à QD 510, RM 266 *se devient* peut-être QD 3425

devoier v. empêcher QD 1896

dicter v. composer, écrire BD 10

dictié n. m. poème QD 824

diffame n. m. déshonneur QD 963

divers adj. cruel, mauvais QD 1177, 1522

dommaine n. m. pouvoir QD 1968

doubte n. f. crainte QD 267, 1899

doubter v. craindre QD 443, 449 *se d.* craindre QD 2178

doulçaine n. f. sorte de flûte QD 1488

douloir v. souffrir QD 509, 1055 *se d. (de)* s'affliger, s'attrister QD 175, 353

dragiee n. f. mélange QD 2406

duire v. instruire QD 24, BN 19; mener QD 2438; convenir BD 554, 706

effors n. m. troupe BD 662

embatre (s') v. lutter QD 2244 *s'e. en* fondre sur QD 2101, 2164

embler v. voler QD 534, 749 *s'e. de* quitter QD 29, 669 *en emblant* en secret QD 1478

empeschier v. préoccuper QD 1456

emplaige n. m. *au fuer l'e.* à proportion QD 2677

empri(n)se n. f. entreprise QD 246, 3528

enchëoir v. tomber BD 594

encombrement n. m. dommage QD 3351

encontre n. m. rencontre QD 369; hasard, aventure QD 371

encoulper v. accuser QD 3075

endementier(s) adv. entre temps QD 1873, RM 43

endroit n. m. respect QD 3144, EX 22 *en son (leur) e., e. soy* pour sa (leur) part, en ce qui le(s) concerne QD 3378, RM 200, BN 323 *cy e.* ici QD 497 *la e.* là QD 3446

enferme adj. faible, malade QD 539, EX 187

engreige n. f. aggravation QD 3015

enhenner v. fatiguer QD 1500

en(h)orter v. encourager, exhorter QD 1119, 1501

ens adv. dedans RM 213, 292 *ens en* prép. à l'intérieur de BD 177

entechié p. p. & adj. qui a telle ou telle qualité morale QD 1135, 2753

entendre a v. s'occuper de, s'appliquer à QD 1555, 1691

entente n. f. intention, désir QD 430, CO 73

ententif adj. attentif QD 859

enteriner v. achever BN 432

entre explétif *e. vous* vous autres HV 398

entree n. f. impression initiale BD 318

entremater (s') v. se mâter l'un l'autre QD 2245

entreprendre v. attaquer QD 38, 265 *e. contre* prendre des mesures contre QD 592-3

entretant adv. entre temps QD 1768 *e. que* conj. (ind.) pendant que QD 3344-5

entrevescher (s') a v. s'emmêler avec QD 1455

entroigne n. f. moquerie QD 3140

enuieux de adj. lassé, ennuyé de PA 10, 73

envaÿe n. f. *d'une e.* d'un seul coup QD 1575

enviz adv. à contrecœur QD 1380, 3363

envoysier (s') v. s'amuser, se divertir QD 1767

erre n. m. ou f. *grant e.* en hâte QD 3182

erse n. f. porte coulante (sens figuré) QD 1178

escharceté n. f. manque QD 958; avarice QD 1336, BN 346

eschars adj. avare BN 342 *escharcement* adv. petitement BN 165 *eschequier* n. m. instrument musical QD 1489

eschever, eschiver v. éviter, échapper BD 63, 396

escondire v. refuser QD 3457, RM 196 n. v. refus QD 197

escondit n. m. refus BN 253

escondre (s') v. se cacher HV 371

escouter (s') v. hésiter(?), céder à la fatigue(?) HV 326

escouvenir v. falloir QD 313

escueillir (s') v. s'élancer QD 1913

eslacie p. p. f. répandue(?) QD 2680

eslïessier (s') de v. se réjouir de HV 178

esmaier, esmoier v. être en émoi QD 1055; troubler, effrayer QD 1389, 3001 *s'e.* se troubler QD 3325 *espart* n. m. séparation *ou* éclair, foudre (jeu de mots) CO 153

espartir v. séparer QD 565; séparer *ou* faire des éclairs (jeu de mots) CO 153 *s'e.* se partager QD 1080; se répandre QD 2506, BN 194

espoir adv. peut-être HV 92, 181

espreuve n. f. valeur RM 157

essoyne n. m. difficulté, accident HV 93

estage n. m. situation, position PA 107

estant n. m. station debout QD 1816

estour n. m. combat, attaque QD 158, 2430

estre n. m. lieu, demeure QD 1668; condition QD 2448

estrief n. m. étrier QD 1147

estrif n. m. querelle, dispute QD 2530

estrivee n. f. contestation, querelle QD 1544 *a l'e.* à l'envi QD 18

estriver v. lutter, combattre QD 85, 632

euré p. p. *bien e.* heureux QD 2963

excommenier v. exclure, maudire BD 727, PA 219

exiller (s') v. se ruiner QD 2895

exoigne n. f. excuse; exemption QD 3143

experir v. éprouver QD 1200

explet n. m. avantage, profit QD 2495

façon n. f. face, visage QD 1870

faillir v. se tromper QD 2925, EX 218 *failli* p. p. faible, lâche QD 1007, 2858

faire pour v. être favorable à QD 2492

fait n. m. situation, condition QD 1114, 1146

faiz n. m. fardeau, responsabilité QD 2023, 2626

ferir v. frapper QD 1078, 2328 *se f. en* se jeter QD 2420
fermer v. fixer QD 718, 2956
feur n. m. *pour nul f.* en aucune manière RM 219
feurre n. m. paille HV 39
fevre n. m. forgeron QD 2350
finer de v. trouver, se procurer QD 1776
flair n. m. odeur QD 59
foiz n. f. *a la f.* parfois BD 107, 121
forcier n. m. coffre-fort BD 37
forjurer v. renoncer à, abandonner BN 120; défendre BN 141(?)
fort n. m. *au f.* enfin, en fait QD 169, 315 *venir au f.* arriver à la fin QD 248
fortraire v. retirer QD 1731
fouÿr v. creuser QD 2480
frapper (se) v. se précipiter QD 2841
frontiere n. f. *faire f.* attaquer BD 148
fumeux adj. irascible BN 255

gale n. f. plaisir QD 1284
garmenter (se) v. se lamenter BD 269 cf. *guermenter*
garnison n. f. provision BD 147
gast adj. dévasté, ravagé L:II
gehiner v. torturer, tourmenter QD 1974
genglerie n. f. bavardage QD 3288
gengleur n. m. bavard QD 2903, BD 305
gent adj. gentil, joli QD 1870, 2887
giet n. m. lien, attache QD 1658, 2291
gormander v. maltraiter, tourmenter HV 101
goulee, goulïardye, goulïardise n. f. paroles grossières QD 2694, BD 716, BN 297
greignieur adj. plus grand QD 1312
gresillon n. m. grillon QD 66
gr(i)ef adj. triste, pénible QD 464, 1249 *griefment* adv. douloureusement PA 167
gresche adj.f. dure QD 2191
groppir v. rester sans bouger HV 400
guenchier a v. éviter, esquiver QD 2784
guermenter (se) de v. se lamenter QD 137, 1758
guerredon n. m. récompense QD 1350, 2618
guerredonner v. récompenser QD 774, 1015

haitié adj. content QD 1229

hardïer v. attaquer; enhardir QD 2326, BD 108

haussaire n. m. brigand QD 2246

hemy exclam. hélas QD 552

her n. m. hoir QD 2847, BN 17

herite n. m. hérétique EX 43

hober (se) v. se bouger QD 912

hostel n. m. maison QD 2897; maison, famille HV 5, 31

y = il QD 1208, 2566, 2727

ilec adv. là BD 47, 70

yssir, istre v. sortir, quitter QD 162, 1224, 1676, 1989

yvire n. m. ivoire QD 1296

ja adv. déjà QD 39, 378; jamais QD 1539, 3403 *ne... ja* ne
    jamais QD 228-9, 267-8 *ja soit ce que* (ind. ou subj.) bien
    que QD 443, BD 209

joignant adv. tout près QD 1877

jouer (se) a v. attaquer, moquer (inconsidérément) QD 2029,
    RM 333

laier v. laisser QD 270, 3251; abandonner QD 346

lame n. f. pierre tombale QD 2132, BD 32

lange n. m. (vêtement de) laine QD 812

lé adj. large QD 1304, 2258

ledengier v. insulter, injurier QD 3232

lez n. m. côté QD 1526

lie adj. content, heureux QD 3, 869

lierres n. m. s. larron QD 2391

lober v. tromper QD 911

loberie n. f. tromperie QD 798

loiens, liens adv. là QD 2426, BD 78

loier v. lier QD 3036

loisir v. i. être permis QD 454

los n. m. louange, honneur QD 695, 1036

lcsengier n. m. flatteur, trompeur BD 313

louyer n. m. récompense QD 1360, 1637

main n. m. matin QD 1763, 1774

maintenir (se) v. se comporter, se conduire QD 849, 1267
    n. v. comportement, conduite QD 691

maintien n. m. comportement, conduite QD 282, 2433

mais adj. mauvais QD 2694

mais adv. *a tousjours m.* pour toujours BD 612 *oncques m.* jamais HV 132 *n'en pouoir m.* n'en pouvoir plus BD 243, EX 36

maiz que conj. (subj.) pourvu que QD 148, 3413

maniere n. f. mesure BD 686 *de m.* comme il faut QD 2383 *perdre m.* perdre contenance BN 372

manoir v. rester QD 1253; demeurer, habiter QD 1790, 2367

maronnier adj. marin QD 1286

marrir v. affliger QD 1373

marrisson n. f. chagrin QD 1438

mat adj. triste, affligé QD 366, 1500

maugreer v. blasphémer contre QD 924

meffaire v. faire du tort BD 279, BN 14 *m. a* nuire à QD 2313, 3323 *se m.* commettre une faute BN 23, PA 44

mehaigner v. blesser QD 1936

mehaing n. m. blessure QD 2020, BD 246

mendïer v. être dans la détresse QD 3355 *m. de* être privé de QD 560

mener v. faire (un bruit) QD 86, BD 84; être (dans un état) QD 361, 1865

merche n. f. marque BD 449

merchier v. marquer QD 2160

merele n. f. solde, gain QD 2810

merir v. récompenser, payer de retour BD 408

merveilleux adj. terrible, violent QD 2430, CO 3

mescheoir a v. i. arriver du mal à QD 756, 1819

meschief n. m. malheur QD 313, 467

mescroire v. ne pas croire, refuser de croire BD 718, EX 121 *m. de* soupçonner de QD 893 *mescreü* adj. infidèle QD 2067

meseür n. m. malheur HV 170

meseüreux adj. malheureux HV 210

mesler (se) v. se quereller PA 120

mesmement adv. surtout QD 3332, PA 169

mesnie n. f. gens de la maison, serviteurs QD 2438, BD 365

mesprendre v. commettre une faute, faire mal QD 267, 594

mesprison n. f. erreur QD 1195, BD 534

message n. m. messager QD 3511, PA 109(?)

meürer v. mûrir QD 2961

mire n. m. médecin BD 173

mirer v. refléter *et* instruire CO 99 *se m.* s'instruire QD 2795, 3031

mirouer n. m. miroir *et* exemple CO 99, BN 90

moitoier adj. qui a la moitié de QD 1280

mont n. m. *en un m.* ensemble QD 1810

mont adv. beaucoup QD 1809

monter v. valoir QD 1468, EX 193

mon(t)joye n. f. point culminant EX 140, PA 142

mort n. m. morsure QD 1930

muser v. s'amuser, perdre son temps QD 1613, 2947

mussoire n. f. épargne, réserve HV 373

neant, nient, noiant n. m. *(il) est n.* c'en est fait (de) QD 993 *pour n.* en vain, inutilement QD 682, BN 268 *n. plus que* pas plus que EX 175

nenny, nonny adv. non QD 2776, RM 81

nesun pron. quiconque QD 2058 adj. *n. ne* aucun (valeur négative) QD 48, EX 194

nice adj. niais QD 601, 2758

noise n. f. bruit QD 86

nourreture n. f. éducation BN 117

nuyeux adj. nuageux QD 19

null(u)y adj. quelconque QD 506 pron. quelqu'un, quiconque QD 1220, 2561 *n. ne* personne ne QD 605, 2119

o prép. avec QD 1287, 3246

onny adj. égal, uni BD 722, 741 *tout o.* également QD 2777

or adv. *tresor* tout de suite RM 251

ordonnance n. f. discipline, contrôle de soi-même BD 125, PA 233; ordre, rangs QD 2865

orendroit adv. maintenant BD 737, BN 146

orfenté n. f. malheur QD 1707

ot p. hist. il y avait QD 1130, 3021

oultrer v. tuer; finir QD 973, 2849

ourne n. m. ou f. *a o.* ensemble QD 1992

parçonnier adj. participant à QD 1288

parfournir v. faire complètement, achever BD 757, BN 439

parlement n. m. propos QD 3350

partie n. f. bien-aimé QD 2095, BD 610 *quant de ma p.* pour ma part QD 1594

partir v. partager QD 136, CO 157 *p. a* participer à, prendre part à QD 2461, CO 155, PA 140 *se p.* se partager, se rompre QD 687, CO 168

passer v. supporter QD 1153

pastissage, pastiz n. m. impôt, tribut QD 1835, BD 792, PA 102

peautraille n. f. canaille QD 3305

pel n. f. peau; situation RM 240

pener v. être en douleur QD 1867 *se p. de, a* s'efforcer de QD 1518, 2964

peser v. i. causer du chagrin QD 91, 1279

peu adv. *a peu que* (indic.) peu s'en faut que QD 415-6

pieça adv. depuis longtemps QD 1298, 2116

piece n. f. *longue p.* longtemps QD 2142

pinpernel n. m. sot, tête folle HV 261

pleger v. se porter caution pour QD 1957

plet n. m. paroles, langage QD 2498

plevir v. engager CO 131, EX 236; certifier BN 395

ploy n. m. décision CO 119

plus adv. *sans p.* seulement QD 189, 194

pointure n. f. piqûre QD 1892, BD 323

polir v. voler QD 1591

pose n. f. *une p.* un certain temps EX 160

pouoirs n. m. pl. forces, troupes QD 3169

pourchacer v. causer BD 257 *p. de* s'efforcer de, demander à QD 2968, HV 115

pourchaz n. m. quête BD 294

pourmener v. poursuivre, tourmenter QD 1570, 1966 *se p.* se promener BN 280

pourpens n. m. pensée, réflexion BN 326

pourpris n. m., *pourprise* n. f. enclos, enceinte QD 33, 2306

pourtant adv. pour cette raison QD 3452, BN 334 *non p.* cependant RM 37

pourvoir v. *p. a* être attentif à QD 2445 *p. que* prendre soin que BD 703 *pourveu* p. p. & adj. préparé, prêt QD 2799

praie n. f. butin BN 163

prendre v. i. advenir à QD 1934, HV 268 *(se) p. a* v. commencer à QD 369, 1715, HV 379

presse n. f. foule; mêlée QD 928, BD 155; pression, détresse QD 2137

pris n. m. estime, réputation QD 34, 1031

priveté n. f. amitié BD 252

procurer (se) v. travailler à BN 135

provision n. f. prévoyance BN 32

puis adv. *p... p.* tantôt... tantôt QD 2401-2, 2822

puis prép. depuis QD 321, 3298

puis que conj. (indic.) depuis que, après que QD 1129, 1299-1300, 1715

quanque pron. tout ce que QD 1786, RM 235

quant adj. combien PA 90, 92

quant conj. si QD 259, 485

quant pron. *tout q.* tout ce que BN 391

quartain adj. qui revient tous les quatre jours QD 936

que conj. pourquoi QD 414; ce que QD 511, 736; (avec des expressions temporelles) où QD 4, 317; car, parce que QD 1019, 1162; de façon que QD 476, 891; que que QD 1840, 2206 *ce que* le fait que QD 1554, HV 62 *ne que* pas plus que QD 1228, 1340

que pron. qui QD 633, 1340

querele n. f. cause, plainte QD 2811, CO 77

qui pron. celui qui QD 844, 1507; si on QD 2331; ce qui QD 1823, 2554; que qui QD 2385

quoquart n. m. sot QD 917

racointe n. f. intimité QD 870

raembre v. racheter QD 999

raim n. m. branche QD 1315, 1875

rallïer (se) v. se réconcilier PA 224

ramentevoir v. rappeler QD 1851

rappel n. m. appel QD 898 *sans r.* irrévocablement RM 238

rappeller (se) de v. rétracter CO 79

ravy p. p. & adj. transporté BD 83

recorder v. faire connaître, rapporter QD 2489, EX 195; rappeler BN 447 *se r. de* se rappeler RM 278, EX 116

recort adj. qui se souvient QD 2490

recouvrer v. réparer, remettre en état QD 469, 3339; se tirer d'une difficulté RM 127

recrëant adj. qui renonce à soutenir sa cause, lâche QD 958

recroire v. lasser QD 2066, L:II *recreü* p. p. & adj. lâche, qui s'avoue vaincu QD 894

recueillir (se) v. se retirer QD 1916

redonder v. abonder QD 1511 *r. en mal a* causer du mal à QD 731 *r. sur* retomber sur BN 351

referir (se) v. se jeter QD 1079, 2422

refraindre v. empêcher QD 410 *se r.* se contenir QD 518

refuge n. m. *estre a r. a* avoir recours à QD 1363

regaler v. réparer QD 2111

relais n. m. reste BD 93

remaindre, remanoir v. demeurer, rester QD 1164, 1254, 2194

remanant n. m. reste QD 1792, 2901

remerir v. récompenser QD 1356

renchëoir v. retomber QD 3027

renchiere n. f. enchère; difficulté BD 415

rendre (se) pour v. se déclarer QD 2016

rendue adj. & n. f. dévouée QD 1742

rente n. f. *de r.* régulièrement QD 1582

repas n. m. guérison, consolation QD 569

reposé p. p. & adj. caché QD 828

rescourre v. délivrer, recouvrer QD 920, 2250

resler v. arroser(?) QD 1527

resourdre v. relever, rétablir QD 1513, BN 417

respitier v. différer BD 696; sauver, épargner BN 345

ressoigner v. craindre, redouter QD 1104, 1553

restraindre v. tenir éloigné QD 1112

retenir v. attacher à son service, engager QD 298, 319 *r. a* tenir à BD 607-8

revel n. m. joie, plaisir QD 3110

reverchier v. examiner soigneusement QD 2159

reverse n. f. *a la r.* à l'envers QD 1180

rien(s) n. m. (quelque) chose QD 1211, 2854 adv. nullement CO 29, HV 236 *rïoteux* adj. querelleur BN 257

rober v. voler QD 792, 910

rouver v. demander QD 801, 2220

ruser v. repousser PA 262

sachier v. tirer QD 2861

sade adj. agréable QD 1412

saillir v. sortir QD 1854, BD 647; sauter QD 2119; échapper RM 296; survenir HV 211 *se s.* échapper BD 646

saing n. m. signe QD 2021

sauls n. m. saule BD 158

sauterele n. f. sorte de danse QD 2809

semille n. f. ruse, tour QD 2892

sensible adj. sage QD 2091

sentir (se) de v. se ressentir BD 43

sery adj. serein, doux QD 60, 141

serre n. f. prison QD 1531 *en s.* à l'étroit QD 666

seurquerir v. demander trop à, tourmenter QD 445, 1688

si conj. & adv. et, alors QD 7, 33 explétif QD 249, 322

si que conj. (ind. ou subj.) de sorte que QD 1305, 1666; comme QD 1337, 1426

si n. m. *par si que* à condition que QD 1379

simplesce n. f. sottise, naïveté PA 203

soiant p. prés. & adj. séant QD 996

sorte n. f. compagnie QD 580 *par dures sortes* durement QD 1545

sortir a v. aboutir à CO 140; convenir à BD 492

souffrance n. f. *en s.* en paix, tranquille QD 2731, PA 245

souffreteux de adj. privé de PA 76

soulas n. m. plaisir QD 231; conversation HV 324, 332

souloir v. avoir coutume QD 167, 174

soute n. f. partie inférieure de qch. BD 391

sur prép. vers, contre QD 1223, RM 275; au risque de perdre RM 316

sus adv. *mectre qch. sus a qn.* accuser qn. de qch. QD 3269 *mectre suz* lever (des troupes) (?) HV 90, 349 *remectre sus* rétablir L:II

tant adv. *(de) t. plus* d'autant plus QD 535, 1730 *t. moins* d'autant moins QD 1652, BD 447 *a t.* sur ce, maintenant QD 1046, 1814 *en t.* ainsi QD 1697 *t. pour t.* d'autant (?) QD 1820

tant que conj. *(a) t. que* (ind. ou subj.) jusqu'à ce que QD 939, 1383, 1968 *en t. que* (subj.) de sorte que QD 3170 *de t. plus que... t. plus* plus... plus BD 321-3

tantare n. f. *aler a la t.* aller s'amuser (?) QD 2801

tasche n. f. *en t.* dans l'ensemble QD 2514

tauxer v. accuser, blâmer QD 2920

tel adj. *de telz y a y* de telles gens QD 2727

ten(n)er v. fatiguer, lasser QD 1499, 1791, 2049

tenir v. *(il) ne leur (lui) tenoit de* cela ne les (l') intéressait pas QD 360, RM 19 *se t.* se conduire BN 360 *se t. de* se retenir, s'abstenir de QD 701, 2732 *tenant* p. prés. & adj. avare BN 342

tenser v. disputer QD 924; réprimander HV 321 *tenser a* se quereller avec QD 109, 2534

termine n. m. (espace de) temps QD 420

tirer a v. tendre à QD 2709, 3205 *se t. a part* se retirer à part BD 121

tollir v. enlever QD 655, 1589

torchier v. battre QD 902

torfait n. m. méfait BN 5, 126

tousdis adv. toujours BD 569, BN 231

touser v. tondre QD 935

tout n. m. *du t.* tout à fait, complètement QD 170, 425 *trestout* adv. tout à fait QD 698, 1877 adj. tout QD 2426

traictier v. tirer, traîner QD 1794

traire v. endurer QD 1732, RM 295; tirer QD 1940, 1947 *se t.* aller, se diriger QD 2607, 3506 *se t. de* se retirer de RM 292

trait n. m. *long t.* longtemps QD 3505, BN 173

travers adj. pervers BD 573

tres préfixe adv. très, bien: pour les adjectifs et adverbes qui commencent par *tres* voir sous la deuxième syllabe

tresaler v. consumer QD 1302, 2112

trespasser v. omettre, oublier CO 111, EX 212

tressüer v. suer, devenir agité QD 1710, RM 209

trestour n. m. détour, délai QD 2429

tribouler v. tourmenter, vexer QD 1270
trop adv. très, beaucoup QD 517, 2026, 2191
truage n. m. impôt, tribut PA 103
turtre n. f. tourterelle QD 671

vantance n. f. vantardise QD 2055
varïance n. f. hésitation, vacillation BN 419
varïer v. hésiter, vaciller QD 2379, RM 356, BN 71
vassault n. m. jeune homme noble QD 2120, HV 3
vassella(i)ge n. m. (acte de) vaillance BN 179, HV 16
vëer v. refuser, interdire RM 203
verbler v. chanter QD 27
vire n. f. flèche QD 1294
viser v. voir, réfléchir QD 1733, PA 49 *v. a* réfléchir à, considérer QD 2156, BD 139
voy exclam. en effet, vraiment HV 41, 55
voiement n. m. *leur v.* les voir QD 2685
voier v. aller, voyager QD 2423
voir n. m. vérité QD 3303 *pour, de v.* en vérité QD 260, 977, RM 178 *v. disant* véridique QD 2157, BD 357

BIBLIOGRAPHIE

P. Bourgain-Hemeryck, *Les Œuvres latines d'Alain Chartier* (Paris, 1977).

P. Champion, *Histoire poétique du xvᵉ siècle*, I-II (Paris, 1923).

E. Droz, *Alain Chartier : le Quadrilogue invectif* (Paris, 1950).

E. J. Hoffman, *Alain Chartier, his Works and Reputation* (New York, 1942).

J. C. Laidlaw, *The Poetical Works of Alain Chartier* (Cambridge 1974).

A. Piaget, « La *Belle Dame sans merci* et ses imitations » *Romania*, 30 (1901), 22-48, 317-51; 31 (1902), 315-49; 33 (1904), 179-208; 34 (1905), 357-428, 559-97.

A. Piaget, *Alain Chartier: la Belle Dame sans mercy et les poésies lyriques* (Genève, 1949).

D. Poirion, *Le Poète et le prince: l'évolution du lyrisme courtois de Guillaume de Machaut à Charles d'Orléans* (Paris, 1965).

F. Rouy, *Alain Chartier : le Livre de l'Espérance* (Paris, 1967).

F. Rouy, *L'Esthétique du traité moral d'après les œuvres d'Alain Chartier* (Genève, 1980).

C. J. H. Walravens, *Alain Chartier: études biographiques, suivies de pièces justificatives, d'une description des éditions et d'une édition des ouvrages inédits* (Amsterdam, 1971).

TABLE DES MATIERES

LA COMPOSITION, L'IMPRESSION ET LE BROCHAGE DE CE LIVRE
ONT ÉTÉ EFFECTUÉS PAR LA SOCIÉTÉ NOUVELLE FIRMIN-DIDOT
MESNIL-SUR-L'ESTRÉE
POUR LE COMPTE DES ÉDITIONS U.G.E.
ACHEVÉ D'IMPRIMER LE 20 MAI 1988

Imprimé en France
Dépôt légal : mai 1988
N° d'édition 1849 – N° d'impression : 8965